Ⓢ新潮新書

島村菜津
SHIMAMURA Natsu

シチリアの奇跡

マフィアからエシカルへ

978

新潮社

プロローグ　自由《リーベロ》という名の男

一九九一年の春、イタリアの人気トーク番組に、リーベロ・グラッシという男が出演した。肝が据わった面構え、鋭いまなざし、簡素な身なり。リーベロというその名は、イタリア語で自由という意味だ。その時の動画は、今も観ることができる。

番組中の彼の発言は、今、耳にしても衝撃的である。[1]

マフィアによる殺人事件がほとんど起こらなくなった現在とは違う。これと闘う捜査官や記者が次々と命を落としていた時代に、彼はひとりの市民としてマフィアの脅しになど屈しないと公言したのである。

リーベロは、シチリア島最大の都市パレルモで縫製会社を経営していた。その肌ざわりのよい高級メンズ下着は、北伊や外国へも販路を広げていた。そんなある時、〝測量士のアンツァローネ〟と名乗る男から、刑務所の友人たちのために五千万リラの寄付をお願いしたい、という電話がかかってきた。典型的な、マフィアによるみかじめ料の要求だ。イタリアが好景気だった頃で、当時の円に換算すれば六百万円近かった（以下、円換算はすべて当時のもの）。

子供たちに気をつけなさい、お前も用心しなさい。そんな再三の脅しを突っぱねつつ、彼は、同年一月十日の「シチリア新聞」に、こんな文面を寄稿した。[2]

親愛なる脅迫者どの

私たちの未知なる脅迫者どのに、脅すような口調の電話や、導火線、爆弾、銃弾を買ったところで無駄ですと、お知らせしたいのです。

なぜなら、私たちは、〝寄付金〟などお支払いするつもりはありませんし、警察の保護下にもあるからです。私はこの手であの工場を築き上げてきましたし、生涯をかけたその仕事を潰す気などありません。

もし、私たちが五千万リラを支払えば、あなた方はすぐに追加の金銭を要求してくる。やがて月ごとの支払いとなり、たちまち工場を閉鎖することになるでしょう。ですから私たちは、〝測量士のアンツァローネ氏〟にいいえと申し上げたのです。そして、彼のようなすべての方々にお断り申し上げるつもりです。

翌日、警察は慌てて護衛をつけたが、まもなく恐喝犯が捕まると、リーベロは自ら護衛を断った。その彼を待ち受けていたのは、商工会での孤立だった。

当時のパレルモ産業連盟会長は、記者たちに、リーベロの行為は、シチリア産業界のイメージを傷つけたばかりか、売名ではないかと仄《ほの》めかした。

その時代、みかじめ料について公然と語ることは完全なタブーだった。

銀行からも、殺されたら払えないだろうから融資はできないと告げられた彼を励まそうと、設立間もない環境保護を掲げる政党「緑の連盟」は、リーベロを招いて「経済とマフィア」と題する討論会をパレルモで開くが、会場はすかすかだった。それでも諦めなかった彼は、高視聴率番組の出演依頼を受けた。

「優先されるべきは法律であり、政治であり、モラルです。しかし、最も優先すべきは、市民の合意形成の質なのです。マフィアが最初に管理したがるのは選挙で、それは彼らの武器でもある。悪しき投票箱の中身は、悪しき民主主義なのです」

番組の中で、淡々とそう訴える彼から、もっと具体的な話を引き出そうと焦る司会者が、なぜあなたは払わないのです。あなたは狂人ですかと挑発すると、彼はこう答えた。

「私は、狂人ではありません。ただ払いたくないだけなのです。みかじめ料を払わないことが、私の企業家としての尊厳だからです」

だが彼は、それだけを言うために出演を決意したのではなかった。持参して読み上げたメモは、シチリア第二の都市カターニアで同年の春に行われた裁判での判決文だ。この街の四大建築会社の社長たちが、地元のマフィアに多額の保護料を払っていた疑惑をめぐる裁判で、彼らが無罪とされた判決文の一部だった。

「あらゆる対話を否定することはできない。みかじめ料を払う人もいれば、みかじめ料を払わないこともできる。しかし、もし、払わなければ、遅かれ早かれ、何が起こるかわからないということを知るべきである」

彼は、当時の財界ばかりか、司法界の腐敗した体質まで公然と批判したのだ。

それ以前に、その四大建築会社が、パレルモの公共事業を次々と受注している事実にマフィアとの取引があると睨《にら》み、カターニア司法局へ調査を依頼した人物もいた。元治安警察総督ダッラ・キエーザ将軍だ。マフィア撲滅の切り札としてパレルモ県知事に任命された彼は、その数か月後、妻とともに殺害された。さらに、この疑惑を掘り下げ、四人の建築業者を、地上に死と災害をもたらす黙示録の四騎士にたとえた「シチリア人」誌の主宰者ジュゼッペ・ファーヴァも暗殺されていた。

そして同年八月二十九日の朝七時半、いつものように工場へ向かったリーベロは、自宅のアパートからすぐの通りで、背後から何者かに撃たれて絶命した。

それから、三十年の月日が流れた。

今では、シチリア島で人が殺されるようなことは滅多にない。とはいえ、マフィアはもう存在しない、などと言える状況ではさらさらない。

今日、内務省のマフィア対策庁は、かなり正確に組織の分布と構成員の情報を把握している。それによれば、海外への進出は顕著で、新型コロナの流行後は高利貸しや金融詐欺などが増え、むしろ活発化傾向にあるという。また、大小の組織が九県すべてに分布し、パレルモ県には最も多く、十五の縄張りに八十二の組織がある。とはいえ、個々の組織は三人から十人、最大三十人ほどで、二〇一四年の調査ではパレルモ県の構成員の総数は一五四〇人だったという。[3] 現在、島のマフィアの総数は、三二〇〇〜六八〇〇人と推定されている。シチリアの人口は約四八〇万人（二〇二二年）だから、仮に五千人だとしても、ほぼ千人に一人の犯罪者のために島全体が灰色のように言われるのは心外だろう。そして調べていくうちに、シチリア人たちが、長い間、こうした偏見に苦しんできたこともわかってきた。

シチリアの美術と自然の美しさ、人の温かさに魅了されて筆者も長年、通っていたが、この取材を始めるまで、マフィアの実体についてはほとんど無知だった。その一方で、日本では決まって「マフィアは怖くありませんか」と訊かれ続けた。

そして、マフィアについての書物は枚挙に遑《いとま》がないが、シチリア人たちがどう向き合ってきたのかの情報はほとんどなかった。そこであえて島の人たちから、マフィアの話を訊いてみることにした。すると、そこから見えてきたのは、命をかけて闘った多くの人々がいたことだけでなく、次世代のために今も果敢に闘っている人々の姿だった。

九二年、マフィア大裁判を実現した二人の判事[4]が次々に爆殺されるという衝撃的な事件は、イタリアの歴史を変えた。翌年、四半世紀も逃亡し続けていた大ボスが逮捕され、これまで自分たちを利用してきた政府への怒りのメッセージともとれるマフィアによる連続テロが終わると、シチリア島での物騒な事件は一気に減少。長年、この国をむしばんできた政治腐敗からの脱却へと人々を駆り立てた。

こうして、九五年、マフィアからの押収地をオーガニックの畑に変えてワインやオリーブオイルを作るという挑戦が始まる。暴力によって奪われた土地を取り戻し、法律を改正し、市民の手で、島に新たな雇用を創ろうというその活動が、ようやく実を結ぼうとしている。そして、この試みは、シチリアから、今や世界へと拡がろうとしていた。

二〇〇〇年を迎えると、有名なボスたちの出身地であるいくつかの町では、マフィアに侵食された負のイメージを払拭しようと地域おこしが始まった。また、マフィアについての正しい情報を伝える博物館が各地に生まれた。

グローバル経済の中で大量生産と大量消費が生み出す世界的な食の均質化に反旗を翻《ひるがえ》すイタリアのスローフード運動を取材した。その『スローフードな人生！』（二〇〇〇年、新潮社）を執筆する中で深く魅了されたのが、野菜がおいしく、在来作物も多いシチリア島だった。そこで、若者たちが二〇〇五年に始めたもうひとつのユニークな運動に出会った。彼らは、みかじめ料不払い宣言をする店を募り、これを応援する消費者とつなげたのである。日本でも、国連が掲げたＳＤＧｓの号令の下、エシカル（倫理的）消費という言葉を耳にするようになったが、自然に負荷をかけず、生産者や加工に携わる労働者からも搾取しない商品を選んで買おうというこの消費者運動は、八〇年代、アメリカやイギリスから世界へ拡がった。「買い物は、財布による投票だ」という掛け声とともに、消費行動は政治や企業の腐敗を是正する一手段であるといった認識が深まる。マフィアは、農産物の流通や加工、危険な廃棄物の不法投棄、麻薬や武器の密輸に広く関わっている。シチリアの若者たちの活動は、普段の買い物がマフィア撲滅につながることを示し得た点で、画期的なエシカル消費運動だった。そして、そこから生まれた小さな旅行社が提案するのは、知られざるマフィアとの闘争史を伝え、旅先での食事や宿泊、買い物をする場所もすべてみかじめ料フリーという、世界初の社会的な旅への誘いだ。

マフィアは、封建制から資本主義への移行そして、イタリア統一期の混乱の中で生まれたという。労働者を管理し、抑えつける必要からそれは生まれ、第二次大戦後の闇市や都市開発、さらには冷戦体制が、これを成長させた。歴史家たちが指摘するように、民主国家の重たい歩みにマフィアが寄生しているのならば、シチリアで今、始まった挑戦は、真の民主主義を実現していくための草の根運動だと言える。

次の世代のために故郷の島を変えていくことを諦めない、そんな彼らの姿は、新しいシチリア人像を見せてくれることだろう。そして、私がこの取材にのめり込んだのは、それが、決して不運な歴史を抱えた遠い島国の物語とは思えなかったからだ。

シチリアの奇跡　マフィアからエシカルへ　目次

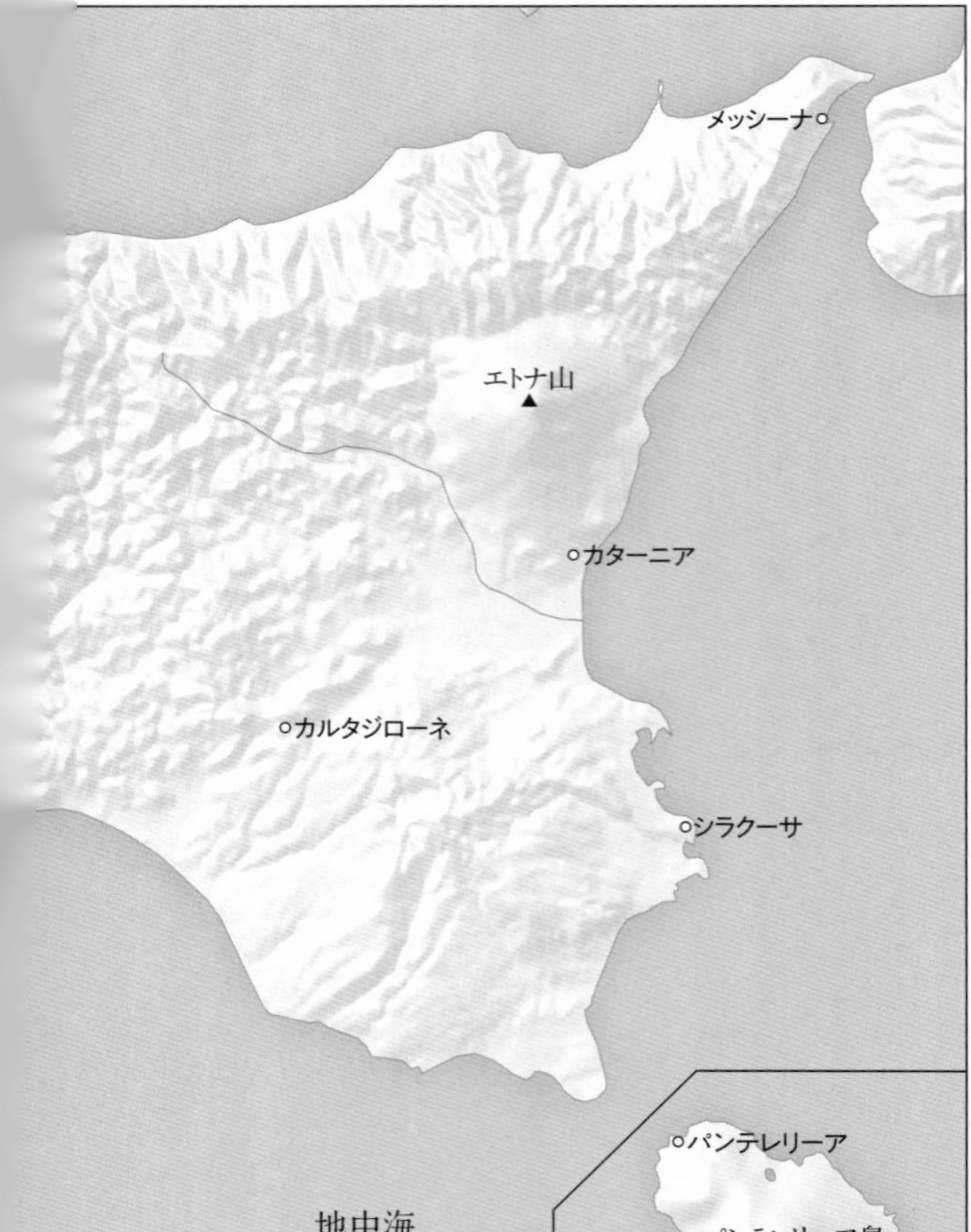

メッシーナ
エトナ山
カターニア
カルタジローネ
シラクーサ
地中海
パンテレリーア
パンテレリーア島
0
5km

シチリア
ティレニア海
0
20km
チニジ
カパーチ
パレルモ
モンテレプレ
トラーパニ
ピアーナ・デッリ・アルバネージ
サン・ジュゼッペ・ヤート
カッカモ
ジベリーナ
サレーミ
コルレオーネ
パルタンナ
カステルヴェトラーノ
シチリア州
アグリジェント
スイス
ロンバルディア州
ヴェネチア
クロアチア
フランス
トリノ
ミラノ
エミリア・ロマーニャ州
ボローニャ
フィレンツェ
トスカーナ州
ピエモンテ州
ローマ
ラツィオ州
プーリア州
バーリ
アルバニア
ナポリ
カンパーニャ州
サルデーニャ州
ギリシャ
カラブリア州
パレルモ
シチリア州
チュニジア
パンテレリーア島
イタリア全土

本書は季刊誌『考える人』（２０１７年春号）にて、「シチリア、マフィアと闘う島」として初出し、その後、取材を重ねて書き下ろした作品である。

写真　著者撮影
© Centro Peppino Impastato（63頁）
© Mondadori Electa SpA（57頁と83頁）

地図　アトリエ・プラン

第一章　町の負のイメージをいかに覆すか

『ゴッドファーザー』の町と呼ばれて

一九九三年一月、長く身を隠してきたマフィアの大ボス、トト・リイーナがパレルモ郊外で逮捕された時、イタリアに限らず、欧米の名だたる新聞が、その怒気を帯びた小太りな男の写真の隣に、『ゴッドファーザー』（一九七二年、米国。フランシス・F・コッポラ監督）のマーロン・ブランドを並べてからかっていた（21頁）。映画の主人公ドン・コルレオーネは、シチリア西部の内陸に実在する小さな町[5]、コルレオーネの出身という設定だった。ここで生まれ育ったトト・リイーナは、ドン・コルレオーネのモデルと言われることも多かったからだ。

ハリウッド映画の名作に描かれたスーツに身を包んだ羽振りのいい男たち、殺戮《さつりく》を繰り返す一方で家族愛に拠り所をもとめる矛盾に満ちたその姿が、そのままシチリア人のイメージを形成していた。映画の刷り込みは絶大で、今も多くの観光客が、ゴッドファーザーの出身地を覗《のぞ》いてみたいという好奇心から町を訪れている。

そんな町に反マフィアを標榜する博物館が二つも生まれたというので、二〇一六年の春、せっかくならば、地元の人にじっくり話を聞きたいと知人に相談すると、それなら適任が、とひとりの女性を紹介してくれた。

パレルモからはバスで五十分ほどだった。バス停前で待っていると、重そうなファイルを抱えた短い黒髪の痩せた女性が近づいてきて、やや緊張した面持ちで片手を差し出した。

この町で十年以上、反マフィアのガイドを続けるマリレーナ・バガレッラだった。

まずは町の全景を眺めてみたいというと案内されたのは、修道院が立つ岩山だった。その頂からは、彼方まで続くなだらかな丘陵地帯を見渡すことができた。岩に腰かけ、壮大なその風景に見入っていると、彼女が町の歴史を語り始めた。

「コルレオーネは、九世紀のほぼ百年間、アラブ人に占領されました。アラブ人がいたから気性が荒いなどとひどいことを言う人がいますが、大事なのは、なぜ、この町を選

Prima pagina anche all'estero
Il padrino affiancato a Brando

ROMA — L'arresto di Totò Riina ha portato l'Italia al centro dell'attenzione internazionale. La notizia è stata data con grande rilievo dai maggiori network televisivi del mondo, e ieri quasi tutti i quotidiani europei occidentali hanno dedicato a Riina titoli di prima pagina.

Il quotidiano tedesco «Süddeutsche Zeitung» titola: «Finalmente tradito il padrino di tutti i padrini». Il «Frankfurter Rundschau» commenta: «Con il nuovo anno è cominciata anche la fine della mafia?». «Bild», il quotidiano più popolare della Germania, ha una grossa foto col titolo: «Arrestato il più grande dei boss ma, sorpresa, è un nano», in riferimento alla sua bassa statura.

Grandissima attenzione anche in Francia. Il quotidiano di sinistra «Libération» titola «La caduta del padrino» con una foto a tutta prima pagina. «France Soir», sopra il disegno di una mano insanguinata, titola «La mafia decapitata».

Prime pagine anche sui quotidiani britannici «Times» e «Guardian». E i fogli popolari hanno avuto l'idea di accostare le foto di Riina a quelle di Brando ne «Il padrino». Grande rilievo sul «New York Times», con foto e articolo in prima.

Qui a fianco, Marlon Brando nel film «Il Padrino»; sotto, Salvatore Riina fotografato subito dopo l'arresto (Ap e Giacomino)

E UNA MALEDIZIONE

nimi infine respirano

tempone in vena di scherzi. Ma il problema è reale. Lo sanno bene i numerosi Salvatore Riina che abitano in Sicilia.

Soltanto nell'elenco telefonico di Palermo sono in 7; altri 4 figurano nel distretto di Corleone. Per il geometra Salvatore Riina, 44 anni, sposato e

scritta dai pentiti. Adesso finalmente può tirare un sospiro di sollievo: «Non ne potevo più. Stava diventando una persecuzione».

Ma il più contento di tutti è un altro Salvatore Riina, 32 anni, bancario, sposato con due figli, che ha avuto anche la «sven-

んだのかということです。まず六百メートルの高台で、両端に天然の要塞のような岩山もあった。中世は城壁に囲まれた小さな町で、岩山には見張りの塔が造られた。その一つが今も残るサラセンの塔です。小麦やオリーブ畑、森も豊かだったからです」

次に誘われた小さな考古学博物館には、シチリアで唯一、発掘された古代ローマの標石が展示されていた。館長がこう教えてくれた。

「コルレオーネは古代から交通の要所で、地中海の港からパレルモに抜ける街道の真ん中だった。だから、町の歴史も中世に始まるのではない。十三世紀半ばまで町は南の岩山にあり、そこから先史時代、古代、中世の城壁の一部も見つかったんだ」

最盛期は小麦や葡萄の産地として栄えた十六世紀で、豊かさを象徴する教会がこの小さな町に百もひしめいていたという。

抑えつけられた労働者運動

六角形の噴水があるナシェ広場の地区は旧市街の面影

が最も残る一角で、その狭い路地や数軒の家が小さな広場を共有する造りは、アラブ統治時代の名残だという。

マリレーナが広場に立つ男の胸像に近づくと、こう言った。

「今日、伝えたいのは、コルレオーネが反マフィア運動の地でもあったという事実です。その歴史はベルナルディーノ・ヴェッロから始まる。彼は、十九世紀末の労働者運動ファッシの代表で、地元の農民たちのために闘ってマフィアに殺された。大農園で働く小作農たちを組織し、農園管理人を通さず、地元の人たちに直接、安く食べ物が手に入るようにした。その運動に、町の八百人の女性たちが加盟していたのです」

耳を疑った。共同購入の先駆けではないか。これまで、イタリア南部は農協や生協運動が発達しにくかった地域とされてきたが、そこにもマフィアという障壁が立ちはだかっていたのだ。

だが、その時、この町を初めて訪れた九六年の夏の記憶がにわかに蘇った。ある雑誌のシチリア特集で、マフィアにちなむ場所ガイドを盛り込むことになった。その日、町は祭りで賑わっていた。純朴な仮装行列の見物人の一人に「すみません。トト・リイーナの家はどこですか」と訊ねた無神経な異邦人に、ふと見せたおじさんの悲しげな表情が今も忘れられない。ふいに黙り込んだ彼に代わって、隣のおじさんが向き直った。

「お嬢さん、コルレオーネはマフィアばかりの町じゃありません。美しいものもいっぱいあるのです」

数人に取り巻かれた私を見て、少し離れたところで待機していた編集者とカメラマンが、もしや、その筋の人たちに脅されているのではと心配して駆け寄ってきた。

だが、事実はその逆だった。犯罪とは無縁に真っ当に生きてきた住人たちが、ごく一部の犯罪者のせいで、町全体をマフィアの巣窟《そうくつ》のように見なすのは、そろそろやめてくれないかと訴えていたのだ。いたたまれなかった。

俄然《がぜん》、興味が湧いた私は、その夕方、町のちっぽけな書店で『知られざる反マフィア活動』[6]という本を見つけた。これによれば、ファッシというイタリア語は連帯や団結を指す。ヒットラーのファシズムのせいで不穏な響きを帯びてしまったが、それとは無縁の純然たる労働運動のことだった。当時、大農場で働く農民の労働環境は悲惨で、それは都市の工場や鉱山も同じだった。そこで多くの人が連帯して、労働条件の改善を求めていこうという運動が巻き起こった。

直接の要因は一八八〇年代の世界的不況だった。島の経済を支えていた柑橘《かんきつ》や硫黄の需要が低迷し、米露間の競争から小麦の価格も下落。葡萄は病気で壊滅的被害を受け、多くの人が日々の糧にも窮した。そんな逼迫《ひっぱく》した状況下でシチリアのファッシは一気に盛り上がり、公式記録に残るだけでも参加者は七万人を超えた。そんな労働者を支えたのが、共産党や社会党の若いリーダーたちだった。

その一人だったヴェッロが創ったコルレオーネ支部には、約六千人が参加し、女性が過半数を超えていたという。彼は、島で初めての農民たちによるストを行い、収穫物の半分を残すといった条件を、農場主たちに承諾させることに成功した。ところが、さらに地方税や家畜税の負担が暮らしを圧迫すると、デモは時に暴動化していく。

一八九三年末、政府は島に五万人の軍隊を送り込み、ファッシに解散命令を下す。命を落とした労働運動家や農民は百八名、政府軍の兵士は一名だった。この時、ヴェッロは逮捕されるが、翌年、恩赦《おんしゃ》が下ると、故郷に戻って「大地《ラ・テッラ》」という農業組合を設立。やがて八百人の女性たちが加盟する組合と農民たちの組合をそれぞれ作り、農園管理人を通さない共同購入を始めた。

だが、それは大地主に代わって土地と労働者を管理していたマフィアとの真っ向からの対立を意味した。多くの支持を得て町で初めての社会党の町長となった彼は、まもなく凶弾に倒れた。

その像の台座には、こう刻まれていた。

「コルレオーネの農民たちは、最初の思索の光と、労働の尊厳という感情を与えてくれた彼のことを忘れない。友愛の心から、投獄と逃亡生活、貧しさに苛《さいな》まれた人。あらゆる迫害と犯罪の中で、勇敢にも自由を守り続け、一九一五年十一月三日、殺害される」

地主や鉱山主といった資本家の下、労働者を暴力によって管理したのが、マフィアだった。そんな中でファッシは、最初の抵抗運動だったという。だが、それがもう一つの権力、政府によって叩き潰されたことで、事態はより深刻化した。

反マフィアの歴史を俯瞰する美術館

コルレオーネの町はずれの「合法性のラボ[7]」と書かれたレモン色の展示施設に案内された。マリレーナは、その副館長を任されていた。それは、戦後から現代までマフィアと闘った人々の歴史を俯瞰する、世にも珍しい反マフィア美術館だった。壁は部屋ごとに草色やバラ色に色分けされ、年号や人名も描きこまれた具象画は、原色厚塗りのクセの強い画風だ。好みは分かれるが、町の再生を印象づけるには効果的かもしれない。

戦後のこの町のボス、ミケーレ・ナヴァッラの表の顔は医師で、町立病院の院長だった。次のボスは、その殺し屋として頭角を現したルチアーノ・レッジョ。彼は、麻薬の密輸や水利権を独占しようと企み、ナヴァッラに九十七発の弾丸を浴びせた。

その逮捕後に実権を握ったのが、レッジョの右腕だったトト・リイーナだ。八〇年代の激しい抗争の渦の中心にいた史上最悪のマフィアと言われ、警察に自供した者への報復は徹底的で「裏切者の家族、親族、血のつながりのある者の六歳以上は皆殺し」と命じたともいわれる。

「レッジョは残忍だけど、きれいなイタリア語を話し、人間関係を築くことにも積極的で、物知りだから『教授』と呼ばれた。一方、トト・リイーナは素朴な田舎者で、一六〇センチだから渾名は『チビのトト《トト・ウ・クルトゥ》』。冷酷で貪欲、ずる賢い策士だった。敵対する六人のマフィアを話し合いだと欺いて招き、絞殺して死体を酸で溶かした。次のボス、ベルナルド・プロヴェンツァーノはもの静かだけど、若い頃は容赦がなく、後には草木も生えないというので『ブルドーザー』と呼ばれた。でも晩年は慎重派で、彼の時代になって殺人事件は一気に減ったのです」

ボスたちの等身大パネルによる可視化には、長い間、彼らが逃亡者として姿を隠していたことで人々の間に膨らんでいた恐怖心を払う意味があった。それはハリウッド映画の華やかな虚飾をまとった存在を、文字通り、等身大の犯罪者に引きずり降ろす仕掛けでもあった。

もう一人、顎鬚《あごひげ》をたくわえた身なりのよいパネルの男は、この町出身のヴィート・チャンチミーノという政治家で、公共事業の評議会議員だった時代に約四千の建築許可を出し、「パレルモ占領」と呼ばれた古都の乱開発の元凶となった。

美術館の三階の奥まで行くと、明るい空を背に、後手に縛られ、目隠しをされた少年の絵が展示されていた（写真）。

「それは、マフィアの犠牲になった子供たちに捧げた一枚です。この少年は、父親が判事爆殺の真相を自白し始めたことで誘拐され、七七九日間も地下室に監禁され、首を絞められて遺体は酸で溶かされた。世間は、現代のマフィアは冷酷で、ついに女子供にまで手を出したと騒いだけれど、実際には昔からそうだった。この町の別の羊飼いの少年は、労働運動家、プラチド・リッツォットの殺人を目撃し、

その晩、少年は恐ろしさのあまり高熱を出した。でも、心配した父親に担ぎ込まれた病院の院長が殺人を命じた本人だった。当時は謎の急死と報告されたけど、注射で毒殺されたのです」

コルレオーネ派は、自供を始めた男への警告として、その母や姉たちを殺した。カターニアのマフィアも、母親の鞄をひったくった少年四人を誘拐して絞殺し、遺体を井戸に捨てた。パレルモでは、おそらく殺人を目撃した少年が、撃ち殺されている。調べれば調べるほど、「名誉ある男」たちの掟《おきて》とやらを論じることがばかばかしくなる。

六十四年後に解決した失踪事件

土地をめぐる抗争は、第二次大戦後も激化した。赤旗がはためく大きな作品が並ぶ美術館の農民解放運動の間で、マリレーナが続けた。

「戦後、ヴェッロの遺志を継いだのが、労働運動家のリッツォットです。不耕作地を農協が管理することで農民に分配できる新しい法律が公布された。そこで彼は、この町に『ヴェッロ』という農協を設立したんです」

脅しも増えていたため、彼が仕事で遅くなる時は、誰かが付き添うようにしていた。

貧しい農家の長男だった彼は、五人の妹たちの生活を支えてもいた。

一九四八年の春、いつものように畑仕事をし、夕方から夜九時まで組合で働いた彼は、帰り道、知人に呼び止められた。一緒に帰るはずだった同僚は、子供が生まれて間もないという理由で先に帰宅していた。彼は、カフェから出てきた男たちに追われ、狭い階段を駆け上ろうとした途端、待ち伏せた男たちに車に押し込まれ、消息をたつ。

事件の詳細が明らかになったのは二〇〇五年で、ある古老が誘拐現場を目撃したと、五十七年後に告白したからだ。

マリレーナが、その後の顚末《てんまつ》を教えてくれた。

「二〇〇九年、治安警察はマフィアの墓場と呼ばれた岩溝の底を徹底的に掘り返して五十九体の白骨遺体を回収した。父親の遺体と照合したDNA鑑定から、うち一体がリッツォットと証明され、二〇一二年に町でイタリア政府による国葬が行われた。妹さんも存命中で、それは感慨深い式でした」

失踪から六十四年後の埋葬式だった。そして彼は、シチリアの農村や鉱山で人々のために闘い、暗殺された約五十人の労働運動家の一人に過ぎなかった。

沈黙を破った住民たち

一九八〇年、シチリアでは全国に先駆けて州法に、学校教育の中に、マフィア犯罪について学び、その犠牲者の遺族へ連帯を促し、市民の意識を変えていく取り組みが盛り込まれた。当初は、捜査官や遺族の話を訊くことに留まっていたが、次第に現場の教師たちから、ユニークな発想が生まれる。中でも注目されたのが、九一年、この町のクリスマスツリーに飾る星に見立てた、小学生たちのマフィアへの傑作な手紙だった。

「暴力はもううんざり。人間らしく振舞ってください」

「今、コルレオーネの小学校に通う私たちが大人になった時、判事や警官、記者や教師になって、それぞれのやり方で暴力と沈黙の掟を潰します」

これが話題となって、北伊やフランスの小学校との交流も始まった。

九二年、大裁判を実現した二人の判事が爆殺されるというショッキングな事件が起きると（三章で詳述）、ついに地元の高校生たちが立ち上がる。五百人の生徒と教師たちは、マフィアの文字をバツ印で打ち消したプラカードを手に、町を行進した。

そんな動きを受けて翌年、反マフィアを掲げて町長に当選したのが、三十二歳のピッポ・チプリアーニだ。元パレルモ市長のチャンチミーノは不正入札疑惑で公判中だったった。

　が、一派は地元の議会に残っていた。そんな中で政治改革に挑んだ彼に電話で話を伺った。

「脅しの手紙は何かにつけ届きましたし、任期中はボディーガードをつけていました。私がパレルモ大学の法学部で学んだ八〇年代後半、少しずつ変わっていく州都の空気を感じ、政治への関心を深めました。トト・リイーナが逮捕された年の秋、まず政治を変えようと、『コルレオーネ再生』と名づけた反マフィアの住民たちのリストを作り、広場で宣言文を読み上げた。すると、広場を人が埋め尽くし、通りにまで溢れた。感動的な光景でした。その頃までコルレオーネと言えば、マスメディアではマフィアの代名詞で、みんなうんざりしていたんです。だから真に自発的な改革への流れでした。ただ、町長の候補者に私の名が挙がった時は、やっぱり戸惑いました」

　町長になった彼は、反対派を押し切り、町の広場を「ファルコーネ＝ボルセリーノ」、二人の爆殺された判事の名に変え、反マフィアの象徴にした。任期中に最も力を注いだのは、マフィアに侵食された町のイメージを変えることだった。

「残念ながらマフィアは消滅してはいませんが、私は、この町に命がけで闘った人たちがいたという、もう一つの歴史を伝えたいと考えたのです。恐怖から人々が沈黙していた時代も、リッツォットの父親や彼を支援した労働運動家は、広場で堂々とナヴァッラを糾弾していた。そんな反マフィアの歴史を漫画にして町の学校で配りました」

二〇〇〇年末には、元孤児院に「CIDMA《チドゥマ》」という展示施設を作った。[8] これは、「マフィアと反マフィア運動についての国際資料センター」の略語で、正しい情報を伝え、マフィアの巣窟という町のイメージを払拭する文化活動を行う町長と若者たちが運営するNPO法人である。その開館式は、同日、パレルモで「国際的な組織犯罪の防止に関する国際連合条約」が結ばれたこともあって時の首相も出席し、大いに盛り上がった。

それにしてもなぜ、子供たちの発信から始まったのだろう。

「シチリアの作家ジェズアルド・ブッファリーノがこう言っています。小学校教師たちの軍勢がマフィアを負かすだろうと。社会を変えていくのに、最も大切なのは教育です。将来、誘惑に負けないためにも、子供たちにきちんと真実を伝え、ともに町を変えていく。教育、市民活動、行政の三つの現場から倫理観を高めていくことです」

「チドゥマ」をマリレーナと訪れた。分厚い書類で高い天井までぎっしりと埋め尽くされた棚がある二階の間は、この施設の心臓部だった。

「A4の用紙で約七千枚。ファルコーネ判事とボルセリーノ判事たちが書き上げたマフィア大裁判のための調書のコピーです。これは、チプリアーニ町長の勇気ある活動を応援したいとパレルモ裁判所から寄贈されたものです」

棚からそっと取り出した分厚い書類は、大裁判の鍵となったトマーゾ・ブシェッタの調書だ。

「彼の証言から、組織の全貌が見えてきた。でも、大勢が閲覧するから、こんなにボロボロ。貴重な資料だから、私たちも協力してやっと半分くらいデジタル化しました」

八七年十二月の第一審で十九人のボスに終身刑が下る判決文が読み上げられた時、これまで何度も罪を逃れてきた男たちの表情に、初めて諦めの色が浮かぶ。攻撃を恐れた判事たちは、サルデーニャ島の離島の刑務所にこもって膨大な調書を書き上げた。後に、捜査のために命を落とした多くの人々のことを知るにつけ、展示の象徴的な意味と価値が胸に迫った。

続く部屋には、カメラを武器にマフィアと闘った女と呼ばれ、二〇二二年に世を去った写真家レティッツィア・バッタリアと、その娘の作品が展示されていた。そこには、粋なギャングスターの姿ではなく、愚かな殺戮劇とそれがもたらした悲劇の陰鬱な世界が拡がっていた。マフィアの父親の遺体の脇でカメラを睨みつける少年。死んだ男の背に彫られたキリストの入れ墨。都市の貧困層と虚ろな貴族の肖像。トト・リイーナの残忍な殺し屋レオルーカ・バガレッラが逮捕された瞬間の一枚もあった。

付き添ってくれたセンターの若い女性がぼやいた。

「今でも、映画の『ゴッドファーザー』に憧れてやってくる観光客の中には、こんなものが見たかったんじゃないと怒り出す人もいるのです」

マリレーナが、カメラを見つめて涙を流す初老の女の写真の前で足を止めた。彼女には、マフィアの息子を殺されたその母親の姿が、シチリアに重なるのだという。

「ボスたちが指示したぞっとするような殺人事件を思い出すたび、私たちも、そのイメージに引きずりこまれそうになる。でも何とか、その負の感情を克服して、本当のシチリアを伝えたいのです。この島の家族を大切にする伝統、母系社会が生んだ強くて寛容な女性像、様々な文化の融合が生んだ建築や食文化、そういう美徳が、歴史の浅いマフィアに搦《から》めとられているようで本当に腹立たしいのです」

マフィアの陰惨な事件や見えない共犯者の存在が原因で、家族も信じられないような人間不信や、深い関係を築くことへの恐怖といった心理的問題を次世代にもたらしていると指摘する心理学者もいるのだという。

親戚にマフィアがいるということ

二〇一七年の秋、この町に戻ると、マリレーナは、二〇〇六年、ベルルスコーニが総選挙で敗北した翌日に大ボス、プロヴェンツァーノが逮捕された農園や、現在は治安警察の兵舎になっているトト・リイーナのバラ色の豪邸に案内してくれた。その後、町中に戻ると、彼女が、「あっ」と声を出した。どうしたのかと訊くと「今の真っ赤な車、リイーナの奥さんだった」と呟《つぶや》く。大勢の犠牲者を出した犯罪者の妻が、赤い車で闊歩するのかと呆気にとられた。

「マスコミがあなたと同じ質問をした時、彼女は、平然と、マフィアのボスを愛したことが私の罪ですかと答えた。彼女を擁護している神父も同じことを言っています」

この国の加害者の家族への寛容さは、桁違いだった。残念ながら、リイーナの長男は終身刑で服役中だが、プロヴェンツァーノは、息子たちを犯罪から遠ざけたのだという。

「一人は奨学金をとって留学し、ドイツでイタリア語教師をしています。彼もひとつの希望ね」そう言うと、マリレーナが、こんな打ち明け話をした。

「実は、私の父方も殺し屋レオルーカ・バガレッラの親戚なのです。彼は祖父の孫の一人ですが、その祖父は、トト・リイーナや彼のことを、あれらも最初は鶏泥棒から成り上がったと幼い父を励ましたそうです。でも、父は、私たちを守るために祖父と縁を切って町を離れ、フィアットの工員として働いた。その祖父も亡くなり、私は、故郷の町で、何のわだかまりもなく反マフィア活動ができるようになったわけです」

今もその名字のせいで、空港の税関を通るのは一苦労だという。レオルーカ・バガレッラは、その犠牲者が百人は下らないという殺し屋で、その妹はトト・リイーナの妻、今しがた赤い車で通り過ぎた女性だった。改めて彼女の勇気に打たれた。彼女が反マフィアガイドを続けているのは、東京やロンドンではなく、大物マフィアの親戚もいれば、服役中のボスの親族も行き会う町だった。

彼女を突き動かしているのは、十八歳の頃の苦い経験だという。

「作文コンテストの授賞式の会場で、英国人記者の取材を受けた。コルレオーネにマフィアはいますかと訊かれたから、イギリスにも見えないけれど存在するように、ここにもいますと答えた。それなのに、雑誌の記事にはまるで身に覚えのないことを書かれた。マリレーナ・バガレッラという名の少女、コルレオーネにマフィアはいませんと答えるって」

植林を続けるシチリア最大の森

マリレーナが、その午後、コルレオーネの宝物を見せてくれるという。

車で案内されたのは、町の北東十キロほどのフィクッツァの離宮だ。両シチリア王のフェルディナンド三世が狩りのために造らせた宮殿で、内部は空っぽだったが、中庭では優雅な披露宴の最中だった。花で飾られた白い丸テーブルの周りに、色とりどりのドレスをまとった女性たちが、礼服の男たちにエスコートされて談笑していた。歴史的な文化財がこうして市民が特別な日を過ごせる場であるのはイタリアの美徳だ。

風が吹きわたる宮殿前の芝生で、マリレーナが後ろを振り返るよう指示した。

「見せたかったコルレオーネの宝物は、あの森なの」

離宮の背には、岩山の麓に艶やかな緑の樹海が広がっていた。

「まだあまり知られていないけれど、フィクッツァの森はシチリア最大で、コルレオーネだけでなく五町にまたがっていて約七四〇〇ヘクタールもある。戦時中に伐採が進んだので、今も植林を続けています。気持ちのいい遊歩道もあるので、休日によく娘たちを連れて行くの。オーガニックの農家民宿もあるし、王が釣りを楽しんだ湖もある。次に来る時は、ぜひ、あの森を散策してみて下さい」

フィクッツァには、「駅」という名の評判の店があった。かつてパレルモ—コルレオーネ間には蒸気機関車が走っていた。廃線となったその旧駅舎を利用した店だ。一度、食べてみたかったので、その晩、彼女の一家も誘って食事をした。ジビエ料理や牛肉入りソーセージが味わえる地産地消の店だが、中でも野菜の風味が違う大盛りのカポナータは格別だった。彼女の小学生の娘たちは、はにかみながら学校で教わった日本のことをあれこれと質問した。地元客ばかりだったが、誰に気兼ねするでもなく反マフィアの話で盛り上がった。

二〇一七年の秋、トト・リイーナが北伊の警察病院でひっそりと息を引き取った。これでまた一つ、コルレオーネが呪縛から解放された。

第二章　マフィアは情報と戯《たわむ》れる

都市伝説レベルの情報

二〇一五年の夏、マフィアを知るために訪れたのは、シチリアの州都パレルモに暮らすウンベルト・サンティーノのもとだ。四十年来のマフィア研究家であるだけでなく、マフィアに殺された青年の名を掲げた「ジュゼッペ・インパスタート・資料センター」[9]の主宰者だった。マフィアと女性問題を研究する妻アンナとともに、自宅の一部を事務所にして集めた書籍や雑誌は約八千冊に及ぶ。それを記者や研究者にも気前よく開放してきた。なぜ、そこまでするのかと訊ねると、彼はきっぱりと答えた。

「できるだけ正確な情報を伝え、共有し、後世に残すことが、マフィア撲滅には最も大切だからだ。マフィアまわりには、都市伝説レベルの情報が多すぎるからね」

たとえば、マフィアのルーツが中世から続く正義の秘密結社であるという伝説は、今も根強い。七〇年代まではマフィアの実体がよく摑めておらず、八〇年代には、何人もの死者が出るフリーメーソン絡みの金融スキャンダルも起きた[10]。間違った情報の流布や、映画や小説のイメージもあいまって、今でも正確な情報が伝わりにくいのだという。そこでまず確認しておきたかったのは、マフィアという言葉の使い方だ。

「マフィアは、今ではシチリアの組織だけでなく、カンパーニャ州（州都ナポリ）の『カモッラ』、カラブリア州の『ンドランゲタ』、プーリア州の『サクラ・コローナ・ウニタ』など犯罪組織の総称だ。それは、マスコミや政府、つまり組織外の者が使う表現で、当事者は自分たちのことをマフィアとは呼ばない。シチリアの組織に限定する時、私たちは『コーサ・ノストラ』と呼び、当事者も同じだ」

　コーサ・ノストラとは、アメリカの組織で使われ始めた「我々のこと」を意味する名称で、そこには異国で肩を寄せ合う移民たちの心象が反映されている。ただ、シチリアのすべての組織が、これに属しているわけではないという。南部には「スティッダ」という組織が縄張りを拡げ、東北部の村トルトリーチ出身のマフィアもコーサ・ノストラには属さず、我が道を行くそうだ。

マフィアの語源は諸説あるが、おそらくアラビア語由来とされている。

「マフィアという言葉が初めて公に使われたのは、一八六二年の『パレルモのヴィカリア監獄のマフィアたち』という戯曲だ。この喜劇が大成功したことで言葉が浸透していったのだ」

それは、パレルモの刑務所で暮らす囚人が、ひょんなことから改心する喜劇だ。その頃の刑務所では、看守が一部の囚人に政治犯のスパイをさせることもあれば、新人からみかじめ料を徴収する習慣もあったという。そんな囚人たちの姿が、一八六一年のイタリア統一後の新しい政府の統治下で、窮屈な思いをしていた人々の心を笑いで慰めたのだろう。南部を中心に約二千回も上演される空前のヒットを飛ばし、スペイン語や英語にも翻訳され、マフィアという言葉は世界に浸透していった。

ところが、これにクレームをつけたのが、民俗学者のジュゼッペ・ピトレだった。彼によれば、マフィアとは美しさ、勇敢さ、完璧さを表す方言だったが、この喜劇の成功によって悪党集団を指すようになる。学者は、その後も本来の意味を復活させようと試みたが、サンティーノによれば、それが、後々まで、マフィアは犯罪組織ではなく、シチリア人の精神性を表す哲学だといった誤解を招く一因にもなったのだという。

レモンと硫黄とマフィアの起源

パレルモ裁判所内の地方検察庁に「マフィア捜査班」を設置し、大裁判へと導いたロッコ・キンニーチ治安判事が、ある研究会でこう述べている。

「(マフィアは) シチリアでは、統一以前には決して存在しなかったと認識するべきです。統一以前ではなく、統一直後のシチリアで生まれ、成長したのです[11]」

かつては、アルカイックな農村社会の残像などと考えられたマフィアの起源は、現在では、イタリアの辞書にも十九世紀と書かれている。そのいつ頃かについては今も論争が続いており、一八一八年の封建制解体後とする説と、一八六一年の統一後とする説にほぼ二分される。サンティーノは前者を支持していたが、経済学者サルヴァトーレ・ルーポの『マフィア　百六十年の歴史』(二〇一八年、未邦訳[12]) を読んで、私の考えは後者に傾いた。これによれば、マフィアを生んだ要因は、封建制の解体によって土地や商品の取引が活発化したことに限らず、統一後の混乱と政治のあり方だったという。

パレルモは、古くから黄金の盆地《コンカ・ドーロ》と呼ばれてきた。そう称されたのは、まさに黄金のような柑橘農園のゆえだった。かつては港を見下ろすペレグリーノ山の麓、街の城壁内にも柑橘や葡萄、オリーブの畑が拡がっていた。そして、この豊かな光景が、マフィアの起源に深く関わっていることが、近年の研究からも明らかになってきた。

近年、「ジャーナル・オブ・エコノミック・ヒストリー」に発表された論文[13]によれば、十九世紀末、シチリアのレモン樹木の総数は、イタリア全体の七割を占め、そのほとんどが、当時の三大市場だった英、米、仏へ輸出されていたという。

一年を通じて日照条件に恵まれた島は、柑橘栽培に適していた。その栽培には長い歴史があるが、農園主たちが目の色を変えて柑橘を植え始めたのは、その頃の世界的需要を受けてのことだった。壊血病の予防に柑橘類の有効性が示されると、航海中の兵士の壊血病に悩まされてきた英国海軍が、シチリアから大量のレモンを買い付けた。

こうして空前の柑橘ブームが起こる。

折しも島への勢力拡大を目論むフランス艦隊を封じるため、英国はシチリアを占領し、島の柑橘栽培に投資する英国人やアメリカ人も現れた。実がなるまでに約五年を要する柑橘類には、長期的な投資も必要だったため、金融業や保険業も発達した。オリーブ油、小麦、ワイン、アーモンドなどとともに島の輸出品の半分近くを、柑橘とその加工品が占めた。当時、柑橘農園の間には、貴族の屋敷や香水やリキュールの加工所が立ち並び、その美しさは旅人たちを圧倒したという。

同時に世界的需要が伸びたのは硫黄で、それは火薬の原料だった。当時、イタリアの全産出量の約八十五%が採掘されていたシチリア島には、八百もの硫黄鉱山があり、英仏中心に三十か国に輸出されていた。

だが、なぜ、その景気のいい国際貿易の話がマフィアに結びつくのか。

レモンやオレンジが身体に良いスーパーフードとして世界的脚光を浴びたことで農地の価値が上がり、土地の争奪戦が白熱、農園主は恰好の標的となった。商品を輸送し、船に積むまで盗難から守るために、私的な護衛をつける必要が増した。

また、この経済的繁栄を支えたのは、不当に安い労働力だった。そこで農園、鉱山、工場で不満を抱えた労働者たちを厳しく管理する必要も生まれた。つまり、マフィアを生んだのは、封建制社会から近代国家へと移行する過程でのさまざまな歪みだった。

それにしても、柑橘類の世界的人気がマフィアを育てたひとつの要因であることは、健康ブームの昨今、考えさせられる事実だ。バナナ、カカオ、コーヒーなど植民地産業といわれる食品は、今も現地の労働条件が問題視されている。身体に良いというだけで飛びつくと、知らないうちに、地球の反対側に犯罪をはびこらせているかもしれない。

そして、このマフィア黎明期とフードビジネスとのかかわりは、食のグローバル化の負の側面が、世界の不平等や環境汚染を引き起こしていることが明らかになった現在、シチリアで起こった新しい消費運動にも直結していく。

近代国家の申し子　マフィアとヤクザ

イタリアでは、今も富める北部と貧しい南部という南北問題が社会を揺るがしている。だが、そもそもその要因はイタリア統一以後の政治にあるという指摘も根強い。

一八六一年のイタリア統一は、現在のピエモンテ州とサルデーニャ島を領土としたサルデーニャ王国（首都トリノ）が、北から南へ各地を併合していくかたちで進んでいった。そして南部の統一は、前年五月、統一運動の士、ガリバルディの義勇軍によるシチリア島占領によって、予想外の速度で実現した。この時、多くの島民たちが志願兵となった。ガリバルディ軍は、教科書的な歴史観においては建国の英雄たちだ。だが、実際には、その中から多くのマフィアが誕生したことが報告されている。統一期の動乱で社会的ステイタスを得て、大地主に寄生しながら成り上がる男の姿は、ランペドゥーサの小説『山猫』（一九八一年、河出文庫、佐藤朔訳）の中にも描かれている。

また、政府がサルデーニャ王国の憲法をそのまま踏襲し、その行政、関税制度を全国に広めていったことで、今も「南部のピエモンテ化」という批判が一部続いている。当時の識字率が半数に近かったピエモンテ州に対し、南部は極めて低く、法治国家についての教育も行き届かなかった。

歴史も、風土も、役人の働き方も違った。

そこに重税と徴兵制である。統一から三年で直接税が五十四%、間接税も四十%に跳ね上がり、小麦を製粉するごとに課せられる製粉税は、その主な産地だった南部の人々の暮らしを締めつけた。また政府は、戦争で戦うことこそが愛国心を育てると考えていたが、徴兵制は島では初めての制度だった。国家というものへの忠誠心も育っていない島では二万六千人もの徴兵忌避者や逃走兵が溢れた。その一斉検挙に北部から赴いたある軍人は、「山賊らしい顔つきの者」は見かけしだい射殺という軍事行動に出て、議会でこれが問題視されると、「シチリア人は野蛮人である」という暴言まで残している。

ルーポによれば、最初の十五年間の軍事政権がかなり問題だった。後の県知事は、「当時の警察のやり方は、むしろ行政組織の中にマフィア的要素を取り込むことになり」、文明国としての尊厳を欠くものだった[14]と反省を余儀なくされている。

力で押さえつける政府の下、山賊行為が横行し、島の治安は著しく悪化。当時、人口比に対する殺人率は、ミラノを州都とする北部ロンバルディア州の約十一倍だった。国家による安全が保障されない中で、マフィアが保護の名の下に幅を利かせていった。

自由主義経済を目指す政府は、民間の事業を圧迫するような統制や特権を排除することで、個々が利益を上げ、国が繁栄すると考えた。しかし、少なくとも南部では、急速に増えた商業取引を公正に管理するしくみが脆弱だった。英国からフランス経由でもたらされた自由主義経済は、同じルートで伝播《でんぱ》し、世紀末の島で燃え上がった労働運動ファッシを、無残にも国家権力によって叩き潰す結果をもたらした。

『悪党・ヤクザ・ナショナリスト』（二〇二〇年、朝日選書、藤田美菜子訳）の著者エイコ・マルコ・シナワは、マフィアが生まれたイタリア統一期の一八六〇年代、時を同じくして江戸幕府から近代国家への移行を経験した日本に着目する。日本では、ヤクザの母体とされる賭博集団が、戦の兵力として駆り出され、農民一揆の扇動者となった。また、特権を失った武士の多くが用心棒を生業とし、武士階級から生まれた志士による暗殺事件は、七十件も続発した。

興味深いのは、近代ヤクザの祖と言われ、後に衆議院議員となった北九州の吉田磯吉が、炭鉱産業の活気の中で生まれていることだ。日本でも国家によって治安が維持できなかった時代、ヤクザは市民の自衛手段として発達し、炭鉱、港湾、土建などの安価な労働力を束ねる一方で、労働運動がさかんになると、実業家に雇われ、暴力でこれを押さえつけた。シチリアほどの暴力を招かなかったとはいえ、事情は同じだった。

そしてシナワは、一八六〇年以来、「キャッチアップ」競争を展開してきた日本とイタリアの共通項は、共に「ファシズムに衝突したこと、そしてマフィアによる政治への甚大な干渉を経験していること」[15]と書いている。

そしてパレルモの都市開発がマフィアを急成長させた頃、高度経済成長期の日本には十八万四千人も暴力団と呼ばれる新たな組織の構成員が、いた。警察白書によれば、現在は一万三千強で、これは「暴力団対策法」(九二年施行)によって、取り締まりの強化が功を奏したとも、NPOなどの法人に看板を付け替えたからともいわれる。専門家の中には、これを見えない組織への移行、つまり、ヤクザのマフィア化と呼ぶ人もいる。

関係性の犯罪

「マフィアの世界に勧善懲悪の二元論は通用しないんだ」サンティーノはそう言ってノ

ートを取り出し、その中心に円を描き、その周囲に幾つもの小さな丸を描くと、これをぐるりと大きな円で囲んだ。

「コーサ・ノストラを中心に、見えない経済のネットワークがある。麻薬の売人、市民、商人、企業家、弁護士、医師、警察、裁判官、政治家などがつながっている。しかも秘密結社のように、その全貌は見えない。そうした見えない関係を築いていくことで、大規模な犯罪行為が可能になる。だから私は、これを関係性の犯罪と呼んでいる」

まるで福祉活動の解説のようだが、マフィアの場合、その関係は、みかじめ料や恐喝によってやむなく結ばれることもあれば、利益のために手を組むこともある。司法や警察、政財界とのつながりがあるから、容易に法律で裁けないというのだ。

それは、一八九三年、シチリア銀行元頭取エマヌエーレ・ノタルバルトロが、列車の中で何者かに刺殺された事件でもすでに明らかなのだという。銀行の汚職を調査していた頭取は、海運業者や硫黄採掘会社への過剰融資が、経営危機を招いていることを突き止め、政府に報告書を提出した。だが、役を解かれたのは頭取の方だった。

さらに、この事件には、偽の容疑者が仕立て上げられていた。そこで自ら真相解明に乗り出した元頭取の息子は苦労の末に、殺人を命じた銀行の重役とマフィアを裁判に持ち込んだが、最終公判では、証拠不十分で二人とも無罪となった。

シチリア出身の国会議員で社会学者のナポレオーネ・コラヤンニが、その顛末をつづった本『マフィア王国にて』(未邦訳)の復刻版[16]を読むと、百三十年前の事件とは思えない既視感に襲われる。そこにあるのは、政界、マフィア、金融界の癒着《ゆちゃく》、情報操作による捜査の攪乱《かくらん》だ。

コラヤンニは、「マフィア王国と闘い、これを破壊するには、まずイタリア政府がマフィア王国であることをやめなければならない」という強い言葉で著作を結んでいるが、このスキャンダルは、シチリアへの偏見も増大させた。

ことの顛末に激高したある詩人は、新聞の寄稿文に、シチリアのことを「悪魔たちの住む天国」「イタリアの足元のガン」と表現した。[17]悪魔たちの住む天国とは、もともと、『三銃士』の作家アレッサンドル・デュマが、ナポリに滞在し、ある理不尽な裁判に閉口して残した悪態だった。寄稿文全体を読めば、詩人が、島民たちに同情さえしていることもわかる。しかし、影響力の強い詩人や文豪である以上、言葉選びには細心の注意を払うべきだった。その後、差別的なフレーズだけが切り取られ、「南部はイタリアの経済的な足枷《あしかせ》である」として分離を唱える極右政権の政治家たちにまで連綿と受け継がれることになった。

弾圧と妥協の繰り返し

ファシズム政権の徹底的なマフィア掃討《そうとう》作戦は、よく知られている。

ムッソリーニは島を訪れた時、側近が止めるのも聞かず、パレルモ県の内陸の村ピアーナ・デッリ・アルバネージ（旧グレーチ）の村長だった大ボス、ドン・チッチョを訪ねた。そして、護衛のバイクを鬱陶《うっとう》しがったこのボスが、「シチリアでは自分が望まない限り、葉っぱ一枚、動きません」と大口を叩いたことに嫌悪感を抱いた彼は、元軍人を県知事に任命し、これを徹底的に取り締まった。名だたるボスたちを含む、約一万一千人の逮捕劇を展開した。それでもマフィアが絶滅しなかったわけを、サンティーノはこう説明する。

「実際には、裏で資金提供して、ムッソリーニ政権に取り入った者もいた。だから五年後に連合軍政府によって、その大半が釈放されるとみごと復活だ。この時、弾圧を逃れて渡米したボナンノやガンビーノは、新天地で偽札作りの組織や薬物の国際密輸ルートを築いた。力による弾圧が、マフィア一掃に一石を投じなかったと言えば嘘になるが、その強引なやり方は、島民に、かえって横暴な政府に抗うマフィアといった誤ったイメージを植えつけ、いっそうこれを隠れた組織にしてしまったんだ」

せっかく逮捕したマフィアたちを再び野に放ったのは、連合軍政府だった。

一九四三年の夏、連合軍のシチリア上陸作戦は、空から約四千機の戦闘機、海から約三千の船で十六万人の部隊を上陸させるという壮大な作戦だった。米英軍が競いながら侵攻し、三十八日間で島は陥落。敵味方合わせて、約二万五千人が犠牲となった。

クリントン政権の頃、第二次世界大戦についての諜報部の機密文書が公開され、連合軍上陸を陰で支えたマフィアの存在が、メディアを騒がせた。一九四七年、三十年の刑で服役中だったアメリカのボス、ラッキー・ルチアーノが恩赦となって祖国に帰されたのは、戦時中にニューヨークの港湾労働者にストをさせないといった米海軍への協力があったからだという。この男が、連合軍による島の占領を迅速に進めるために、シチリアの鉱山主でマフィアの大ボス、ドン・カーロらに連絡をし、連合軍はそのネットワークを活用したというのだ。だが、サンティーノは、その武勇伝をこう訂正した。

「とはいえ、マフィアがドンパチやって連合軍上陸を援護したなどというものではないから、くれぐれも誤解しないでほしい。あれほど進歩的な武器弾薬があれば、マフィアの手助けなどまったく必要なかった。ノルマンディー作戦の次に大きな上陸作戦だ。しかし、上陸後は明らかにマフィアの役割があった。アメリカが、終戦直後、六十五人の犯罪者をイタリアに送還したのも事実だ。それ以上に最悪だったのは、連合軍政府に任命されたシチリアの市町村の長たちの多くがマフィアだったことだ[18]」

戦後、ファシズム時代の政治犯への恩赦が出て、これを装ったマフィアたちも釈放された。この時、ムッソリーニが嫌悪したあのドン・チッチョも釈放された。その姿は、戦後のシチリアを支配する大ボスとして、映画『ゴッドファーザー』にも登場する。

この時、自治体の長を選ぶにあたって、反ファシズムを標榜し、共産党ではないことが条件とされた。連合軍は、マフィアを無力化できたが、占領の便宜のために利用し、その見返りに多くの自治体の長に任命し、闇市をその手に委ねたと、あるアメリカ人諜報員は報告書で訴えた。その筆頭が先述のドン・カーロで、連合軍政府に島北部の村ヴィッラルバ村長に任命され、殺人罪などの前科を抹消された。その後、闇市を手中に収めながら、ラッキー・ルチアーノと設立した菓子工場を通して薬物の密輸を始めた。占領から二年後、シチリアに十八のマフィア組織が勃興したが、その多くが武器、ワイン、日常品の横流しで成長した。民主化とともに、連合軍政府は、占領地にアメリカ資本を根づかせるという命題を背負っていた。先の諜報員は、犯罪者たちの取り立ては、島民の不信を招いただけでなく、将来、この島と国全体に深刻な政治状況をもたらすことになるだろうとも指摘していた。[19]

戦後の闇市でヤクザが息を吹き返したのは、日本も同じだ。前出の『悪党・ヤクザ・ナショナリスト』によれば、当初、民主化を進めていた占領軍当局は、共産主義の拡大と労働運動の盛り上がりに懸念を抱き、一九四九年以後、方針を大転換したのだという。以後の「赤狩り」によって、共産党員や労働組合員など約二万一千人が官職や民間企業の職を追われ、一方で巣鴨プリズンのA級戦犯容疑の国家主義者たちが釈放された。

その中には、後にアメリカ最大の軍需産業からの収賄「ロッキード事件」で名が挙がる児玉誉士夫《よしお》もいた。児玉は戦時中、日本軍に物資を調達し、占領地で略奪した金やダイヤモンドといった資産を政治献金にして伸し上がった。また、同じくA級戦犯容疑者で、満州国で官僚を務め、東条内閣では商工大臣だった岸信介も釈放された。安倍晋三元首相の祖父である。その後、岸は自由民主党の初代幹事長、総理大臣となった。反共で冷戦時代の大国に有益な人材だったことが、彼らの運命を変えたのだという。[20] アメリカに敗れた二つの国で、戦後、同じような政治的圧力を受けていたことがわかる。

利用された山賊

国家主義を共有することで戦後の政治と癒着してきた日本のヤクザと違い、イタリアのマフィアは、政治的にはもっと日和見だったとサンティーノはいう。

「マフィアは、国家統一後も右翼政権から左翼政権、ファシズム政権から独立派、キリスト教民主党、さらにアンドレオッティ政権からベルルスコーニ政権へと、しなやかともいえる変わり身の早さで、利用できる政治家を乗りかえながら生き延びてきた。だから、映画やドラマの素材としては面白いが、どこか高みにすべてを操る黒幕がいるというイメージも正しくないんだ」

それから、戦後の政府とマフィアの癒着の原点とされる象徴的な場所を教えてくれた。

それは、パレルモから車で約四十分、村でも集落でもなく、エニシダの原と名づけられた野原だった。尖った岩山が見下ろすこの原には、悲劇の記念碑としての人名や詩が刻まれた岩が点在していた。

戦後まもない一九四七年五月一日、近郊の村々からメーデーの集会に参加した二千人の村人たちに山の中腹から何者かが発砲し、子供三人を含む十一人が命を落とした。犯人はサルヴァトーレ・ジュリアーノという山賊の一団で、当時の裁判記録からは、少なくとも、マフィアと独立派の政治家、治安警察の関与が明らかになっている。

おそらく、最初にジュリアーノの名を知ったのは、映画『シシリアン』（一九八七年、米国。M・チミノ監督）だ。男盛りのクリストファー・ランバート扮する山賊は、体制に楯突く無法者だが、女や村人には心優しい、愛すべき男だった。近年も、宝塚歌劇で『Ｂａｎｄｉｔｏ　義賊　サルヴァトーレ・ジュリアーノ』というミュージカルがかかっていた。ところが、その後、イタリア映画『シシリーの黒い霧』（一九六二年、Ｆ・ロージ監督）を観て衝撃を受けた。その史実に基づく映画のジュリアーノは、まるで別人だった。

その姿は、今もネットで見ることができる[21]（写真）。なかなかのハンサムだ。彼は夢破れてアメリカから帰還した貧しい農家の四男坊だった。二十歳で小麦の闇取引を始めたが、ある日、取り調べを受けた警官にロバまで没収されそうになり、怒って相手を射殺してしまう。彼が山に逃げ込むと、家族や親戚まで百人以上が勾留された。そこで彼らを助けようとしたジュリアーノは、二人目の警官を殺害し、その脱走を手伝った者たちを手下に誘拐や強盗を重ね、最も恐れられる山賊となっていく。

最初のうち山賊は、大地主を襲って故郷の村人に金品を配ったりした。だが、七年間で、一味は百四十七人の命を奪っている。先の現場近くの村で筆者が出会った九十一歳の生き証人は、そばで遊んでいた子供が腹部を撃たれて絶命するのを見届けていた。いくら何でも義賊と呼ぶのには、無理がある。

それでも、島には今でも彼に同情的な人が多い。それは、逃亡者の親族まで問答無用で拘束するといった戦後の横暴な捜査方法が、ファシズム時代と変わらなかったこと。そしてジュリアーノが、時の権力に利用された哀れな男だからである。

戦後のシチリアでは、政府からの分離を目指す独立運動が盛り上がった。島の停滞は、建国以来の植民地的搾取によるもので、悠久の歴史を誇るシチリアは、潜在的に地中海の最も豊かな地だと説く独立派は、多くの島民たちの心をとらえた[22]。この時期、独立派の大躍進を後押ししたのは、反共という共通理念を携えたアメリカ占領軍だった。しかし、独立派の人気ぶりに脅威を覚えた政府がシチリアを自治州の一つにする方針を明らかにすると、独立派は分裂、そこから過激な一派が生まれた。

四五年の夏、武力行使を唱える独立派の陰の部隊が結成されたのは、その指導者で戦後、占領軍政府にパレルモ市長に任命された大農場主のルチョ・タスカ伯爵家の領土だった。そこには、出資者のドン・カーロを始め、島中のマフィアのボスたちが集い、陰の部隊の大佐に任命されたのが、ジュリアーノだった。

政治に関心さえなかったという彼が、もし、ただの山賊に留まっていれば、農地を求めて声をあげた農民や労働運動家に銃口を向けることはなかっただろう。一九五〇年の夏、彼は島西の町カステルヴェトラーノで遺体となって発見された。二十七歳だった。

戦後の闇市で復活を遂げる

事件後のジュリアーノに接触した「ライフ」誌の記事には、ロビン・フッドや義賊といった表現が見える。そして、この時、記者を案内した米軍戦略情報局（一九四七年にCIA、「中央情報局」に改組）の通訳ヴィート・ジェノヴェーゼは、マフィアのボスだった。幼い頃に一家で渡米し、抗争で殺人を重ねながらラッキー・ルチアーノの副ボスになった。表向きは、オリーブオイルの輸入業者で、コッポラ監督によれば、彼こそは映画『ゴッドファーザー』のモデルの一人だ。

ジェノヴェーゼは、指名手配になると祖国へ逃亡し、ファシズム政権下でムッソリーニの息子に多額の献金をして逮捕を逃れ、連合軍上陸とともに情報局に取り入った。その後も米軍の砂糖や小麦の横流しで荒稼ぎし、鉱山主のドン・カーロと小麦やオリーブ油を密輸し、南伊の闇市を支配した。彼らは、時の権力者と通じ、ジュリアーノをテロに駆り立てた黒幕たちだと考えられている。

エニシダの原には、今も多くの人々が訪れる。この事件は、戦後のマフィアが、大地主から政治家という新たな宿主を見出した分岐点だと、サンティーノは言う。

「事件直前の地方議員の選挙で、シチリアでは共産党と社会党が共闘した人民ブロックが、九十の議席のうち二十九議席を獲得した。一方、キリスト教民主党は二十議席に留まった。戦後も農民運動は盛り上がり、島はほとんど共産化しかけていたんだ。そこに大きなブレーキをかけたのが、この事件だ。翌一九四八年の選挙は、仕掛け人の思惑通り、キリスト教民主党の大勝利だ」

どういうことかと訊くと、四七年、キリスト教民主党が、反共政策を進めるアメリカの支持と経済支援を取りつけ、優勢となった。一方で、かつて反共という性格によって占領軍に支持された独立派は、その代表が初代のパレルモ市長などに任命されるも、独立が実現できないとなると、急速に弱体化した。するとこれを支持していたマフィアたちもあっさりとキリスト教民主党に鞍替えした。サンティーノが続けた。

「その後、選挙制度を通じて、キリスト教民主党とともにマフィアは成長した。弱者に寄り添う神父もいたが、『神なき世界を拡げる』共産勢力に脅威を覚えたカトリック教会が、これを支えた。その後も、南に中東の産油国を控えたこの島は、軍事上、エネルギー政策上の要所として、冷戦体制の影響をもろに被った。その歴史の分岐点が、あの事件だ。アメリカやイギリスは、シチリアが共産党体制に組み込まれる可能性を無視できなかった。諸説あるが、私は時の政府の仕業とみている」

ある元CIAの補佐官は、後に〝マフィアの反共という性質が、アメリカ諜報部が、これを支配下に置こうとする要因の一つだ〟と発言している。[23] そして、ジュリアーノの遺体には、警察の発表とは大きく食い違う痕跡が見られた。また、殺害は仲間の裏切りとされているが、その当人は獄中で毒殺されている。エニシダの原でのテロ事件に、マフィアと独立派が関与したのは確かだとしても、その裏に政府や海外の諜報部の暗躍があったのかどうかは、今となっては藪の中である。

ローカル・ラジオの力

七〇年代まで、マフィアは「見えない」存在だったという。見えないことは、その経済活動にも都合がよかった。しかし、闇の犯罪組織など存在しないと主張したのは、悪事を隠したい当事者たちだけではなかった。

六九年、日刊紙「コリエーレ・デッラ・セーラ」は、「(国会の) 反マフィア委員会は、絶対に存在しないものを探そうとしている」という記事の中で、マフィアなどと声高に騒ぎ立てると、シチリアはわずかな観光収入さえ失いかねないと警告した。そして、学者や文化人たちもまた、マフィアは秘密組織でも悪党でもなく、シチリア人の精神のあり様だと繰り返した。

後にマフィアを告発する小説『真昼のふくろう』(一九八七年、朝日新聞社、竹山博英訳)を世に送る作家のレオナルド・シャーシャは、『シシリーの黒い霧』の監督フランチェスコ・ロージと、『ローマに散る』(一九七六年)という映画で、政治家に寄生するマフィアの姿を描き出した。ところがその一方で、シャーシャもまた、なぜか、この時期には、マフィアが犯罪組織であることを否定するような表現を残した。作家は、マフィアに罪を押しつけることで、汚職政治家たちの実態が不透明になることを懸念したのだろうか。

だが、くだんのサンティーノは、当時の報道のあり方に大いに困惑を覚えたという。「ドイツ人社会学者ヘンナー・ヘスに代表される学者たちは、様々な異民族に征服されてきたこの島の風習や気質に手繰り寄せて、マフィア性、沈黙の掟、名誉の概念というものを考えた。だがそれこそが、シチリア人はみんなマフィアであるといった極端な偏見の一因になった。気質はないことはない。だが、シチリア人全員に応用されたのではたまったものじゃないな」

そして誤った報道は、彼が支援を続けてきたある遺族たちを長年、苦しい立場に追いやってもきた。それはローカル・ラジオを通じて地元のマフィアを告発し、七八年に殺害された青年、ペッピーノ・インパスタートの死をめぐってだった。

海を見下ろす断崖の中腹に拡がる町、チニジは、パレルモから三十三キロの距離だ。二〇〇五年から記念館として一般公開されたその生家[24]には、学生紛争の時代を駆け足で生きた青年の姿があった。ペッピーノは、町の識字率を上げようと子供たちに読み書きを教え、若者たちが町に残るように上映会やダンスパーティーを幾度も企画した。記念館には友人たちと折り重なる遺体を演じた反原発のパフォーマンスの写真もあれば、空港建設に反対し、農民たちと座り込みをする写真もあった。

「反マフィアだけじゃない。あらゆる方面に兄はその才能を発揮した。反原発、反ミサイル、反空港建設、女性解放……結局はどれもマフィアにつながるわけだがね」

そう話してくれたのは、記念館の館長で弟のジョヴァンニだ。うなずきながらも、私が気を取られていたのは、目の隈が目立ち、老け込んだ三十歳のペッピーノを写した一枚だった（写真）。それは見えない敵と闘う青年が追い込まれた状況の過酷さを物語っていた。そして彼を過激な反マフィア活動へと駆り立てたのは、大叔父も父親もマフィアだったというもうひとつの事実だった。孤児院の創設者で、幼い頃から尊敬してきた大叔父は、裏では麻薬の密売も手がけるマフィアのボスで、父親はその手下だった。

その彼が、ローカル・ラジオで闘うという発想を得たのは、北部からシチリアに移住し、漁師や農民の支援を続け、イタリアのガンジーと呼ばれたダニーロ・ドルチからだった。農民のためにダム建設に尽力し、水利権を押さえるマフィアと対立、これと癒着した政治家たちとも訴訟沙汰になる。そこで、必ずしも正し

い情報を伝えなかったマスメディアに対抗するために、七〇年、島で最初のローカル・ラジオを開設した人物だ。

ペッピーノは、彼に倣って友人たちと隣町でローカル・ラジオを始めた。これを通じて、美しい海岸線を破壊するリゾート開発は、キリスト教民主党に賄賂を贈ったマフィアによるものだと告発した。地方選挙に立候補したその数日後、ラジオ局からの帰路で三人の男たちに車から引きずり出され、町はずれの小屋で殺害された。男たちは、その亡骸を爆薬とともに線路に縛りつけ、自殺にみせかけた。

命じたのは、地元のボス、ターノ・バダラメンティ、大叔父の元部下だった。当時、コーサ・ノストラの最高幹部会の議長だった。六〇年代、チニジに国際空港の建設が開始された。ターノはこの物流の拠点を活用し、いち早くアメリカへの麻薬の密輸を始める。全米に拡げたピザチェーン店に輸出する食品にヘロインを忍ばせていた。だが、彼は地元では道路建設、リゾート開発、採石場まで手がける実業家で、仕事を紹介してくれる羽振りのよい企業家として通っていた。

マフィアなどいないと言われた時代、ペッピーノの死は、警察の発表に従って、テロリストの誤爆と報道された。本人が鉄道に爆弾をしかけようとして誤って死んだというのだ。冤罪が晴れるまでの長い年月、家族は地元で疎外された。その一方で、飼っていた犬を殺されるなどの脅しを受け続けた。六十代になった小柄でオリーブ色の瞳をしたジョヴァンニの妻、フェリッチャが、その頃の話をしてくれた。

「八一年までは精神的にきつかった。怖いだけじゃなくて、世間的にはマフィアなんていない、あの遺族だけ変なことを言っているとされたのだから。でも、やがて抗争（マッタンツァ）が起きて、この町でもどんどん死人が出た。マフィアのメンバーだけど、毎週のように誰かが殺された。それも、生きたまま焼かれたとか、公園で撃たれたとか、バールの前で撃たれたのに死体が消えたとか、むごかった。そうなると誰もマフィアがいないなんて言えなくなった。こんな小さな町で何人の死者が出たと思う？　二十五人よ」

それは八一年から二年間の最も激しい抗争の当時だ。島のコーサ・ノストラが、トト・リイーナのコルレオーネ派と、パレルモのボンターデらの二派に分裂し、血で血を洗う抗争を繰り広げた。それまで主にフランスのマルセイユで精製されていたヘロインが、取締まりの強化から舞台を南伊へ移したことも拍車をかけた。島の方々に精製所が作られ、コーサ・ノストラは、当時、米国に密輸されたヘロインの約九割を牛耳っていたという。その膨れ上がった富がもたらした殺戮劇だった。ボンターデ側だったターノは劣勢になると海外に逃亡、その間も地元では部下や親族が消された。シチリアでは、この抗争で少なくとも四百人のマフィアが殺されたという。この狂気の沙汰を、島では伝統的な漁にたとえてマッタンツァ（マグロ追い込み漁）と呼んでいる。

若い頃、ペッピーノの葬儀に参列して衝撃を受けたサンティーノは、前年に創立した反マフィア団体を、「ジュゼッペ・インパスタート・資料センター」と改名し、遺族を支援してきた。殺人事件としての再捜査を願い出た彼らに、唯一、親身になってくれたのが、マフィア捜査班を作ったキンニーチ治安判事だったという。

長い裁判の末、実行犯たちに有罪判決が下ったのは、二〇〇一年のことだ。世論を大きく動かし、遺族の社会的立場を変えたのは、映画『ペッピーノの百歩』（二〇〇〇年、伊。マルコ・T・ジョルダーナ監督）のロングランだった。その原題は『百歩《イ・チェント・パッシ》』で、それは彼の家からボスの家までわずか百歩だったからだ。

「兄は長年、テロリストと言われてきた。そんなデタラメな冤罪を拭うのに四半世紀もかかる国なんてね。捏造《ねつぞう》した者たちを罪に問いたいところだが、ひどいものさ。兄が死後も汚名を着せられている一方で、彼らはどんどん出世していったのだから」

その後、ターノが米国で拘留中に死亡し、町が押収したその家に、ジョヴァンニは

「百歩」という名のラジオ局を開いた。そして毎年、町を訪れる大勢の子供たちのために、実家からそこまでの百歩に百枚の色タイルを敷いた。それぞれ絵柄も違うタイルには、反マフィアの戦士たちの言葉が焼き込まれている。

純然たる経済組織

サンティーノは、三十年前の陰惨なイメージに引きずられてマフィアを単なる殺人集団と勘違いするのは危険だと釘を刺した。

「マフィアについての報道は殺人事件ばかりだ。抗争でバタバタと死人が出ると『マフィア再燃』と書き立て、判事たちが爆弾テロで殺されると、『非常事態』と一面に踊る。だが、マフィアはただの殺人集団ではない。殺人をしたら、次の殺人までヴァカンスに出るわけじゃない。表面的には平和な時期にこそ、彼らは活動している。

マフィアは、暴力を行使することで経済活動を行う組織だ。恐喝、みかじめ料、誘拐の身代金、公共事業の不正入札、違法薬物の密輸、選挙活動への介入と、その活動は多岐にわたる。そして巨万の富を手に入れると、それを資金洗浄することで金融業界に介入する。純然たる経済組織だ。彼らが人を殺すのは、組織の掟を裏切った者や組織の利益を阻止する者への罰であり、暴力は、その経済活動を動かす燃料なのだ」

現在のシチリアでは、あからさまな暴力はすっかり影を潜めた。それでも、闇の経済活動がより複雑化し、国際化している今、なおさら不正行為から目を逸らそうとするような情報の攪乱には気をつけなければならないのだという。

「反マフィア法の必要性を訴えたラ・トッレが殺されて、慌てて反マフィア法が制定され、みかじめ料の要求をはねつけたリーベロが殺されて、ようやく恐喝防止法の制定だ。ファルコーネたちが殺されて、ボスたちが刑務所から暗殺を指示できないように重罪犯のための法律が成立した。いつでもすべてが後手にまわっているんだよ。もし、犯罪組織としてのマフィアに焦点を絞り、もっと早く正しい情報を摑んでいれば、これほどの血が流されることはなかったのに」

ピオ・ラ・トッレ議員は、労働運動から共産党の書記となった人物で、サンティーノにとって、シチリア南部コミソの米軍基地にNATOが配備しようとした巡航ミサイル反対運動の仲間でもあった。センターの壁には、「ミサイル反対」と書かれたステッカーが貼られたままだ。それは、今も米軍施設の七十%を押しつけられている沖縄を私に連想させずにはいられなかった。シチリアでは、政府が強引に進めようとしたミサイル計画を何とか撤回することができたが、その功労者が、反対署名を集めながら、百万人を巻き込む平和集会の旗頭となったラ・トッレだった。反マフィア法のために殺されたといわれているが、NATOのミサイル配備に反対運動を展開したことで暗殺されたという可能性もあるのだろうか。

さすがにそれは考え過ぎだと笑われるかと思えば、こんな返事が返ってきた。

「無いはずがない。彼の平和運動はヨーロッパ中に波及し、あまりに成功したからね」

反共の名の下、五十人近い労働運動家たちが殺され、ラ・トッレの死は、その延長線上にあるという。それから彼は険しい表情で、暗雲たれこめる反マフィア前線を語った。

「マフィアは、今やイタリア北部の都市や世界に活動の場を拡げた。だが、故郷の島を手放したわけではない。現代は人口の二割が、世界の総資産の八割を浪費し、一方で多くの人が自国を追われ、生き延びるために移民となる。失業者は増え、テクノロジーの進歩が雇用を減らす。若者の非正規雇用が増え、奴隷のような労働を強いるブラック企業がはびこる。金融システムの不透明さ、銀行の秘密主義、タックスヘイブンといったしくみが、国際的マフィア組織を育てる土壌となる。今後は、せめて不正な利益の洗浄を取り締まる、新たな法的枠組みが必要なのだ」

第三章　故郷のために命をかけた二人の判事

イタリアの歴史を変えた暗殺の年

一九九二年、マフィア大裁判を実現した二人の判事が、相次いで爆殺された。この事件は、イタリアの歴史を変えたとさえ言われている。それは国中に激しい怒りと動揺を引き起こしたのだ。

五月二十三日、シチリア島に帰郷したファルコーネが、妻や護衛の警官たちとともに道路ごと爆殺されたという速報がラジオやテレビで流れた。

その日、刑事モンタルバーノ・シリーズで知られるシチリア出身の人気作家アンドレア・カミレッリは、北部の列車の中で偶然に見かけた、鞄を壁にぶつけながら涙を流して取り乱す初老の男の姿が今も目に焼きついているという。それは、たった今、ファルコーネ暗殺の速報を聞いたばかりのシチリア人だった。

その夏、ボルセリーノ爆殺の報道を耳にした時、作家もまた、その男と同じ衝動に駆られたという。

相次ぐ暗殺は、九二年一月、二人の判事が八六年から担当したマフィア大裁判の最終公判、日本の最高裁に当たる破棄院が、ついに大ボス十九人への終身刑を確定したことへの報復だった。

翌年、これを命じたとされる逃亡者トト・リイーナが逮捕され、有罪を免れないと悟ったマフィアは、その攻撃の矛先を、自分たちを利用してきた政府へと変え、フィレンツェやミラノで民間人が犠牲となる爆弾テロを繰り返した。

するとドミノ倒しのように、七期にわたって首相の座に君臨し、シチリアでの投票率が高すぎると言われてきたアンドレオッティが、公判では無罪となりながら、マフィアとの癒着や汚職疑惑によって失墜。九五年には、戦後から続いた与党、キリスト教民主党だけでなく、五大政党もすべて終焉を迎え、イタリアの政治は大混乱期を迎える。その後、突如、出現し、首相となったベルルスコーニもまた、同じ疑惑で追い込まれていく。

見えない組織と闘う二つの武器

パレルモ検察庁に「マフィア捜査班」を設置したキンニーチ治安判事に乞われて、危険な任務に就いたのが、ファルコーネとボルセリーノを含む、四人の判事たちだった。ジョヴァンニ・ファルコーネ（享年五十三）は、パレルモ大学法学部を首席で卒業した切れ者で、マフィアの親族が銀行の要職にあることを知り、預金や海外送金履歴から不正取引の証拠を掴むという捜査法を確立した。上司キンニーチにこう語っている。

「人間の死体は、消してしまうこともできる。酸に投げ込めば、犯罪の証拠である死体がなくなり、犯罪も消えてしまう。しかし、金銭は常に痕跡を残す」[25]

彼はFBIにも協力を要請し、そこからヘロインの国際シンジケートを突き止める。この捜査法を可能にしたのが、マフィアとの関与が疑われた者の資産や銀行口座まで捜査側が把握できるようにした「マフィア型犯罪組織対策法」、俗に反マフィア法と呼ばれるものだった。これを武器に、彼らはマフィアと金融界の癒着にメスを入れた。

だが、経済界の反発は凄まじかった。

八三年の夏、まずキンニーチが、護衛の警官とアパートの管理人とともに、自宅前で自動車爆弾の犠牲となった。気丈にもその後を引き継いだのは、フィレンツェから赴任したアントニオ・カポネット治安判事だった。なぜ、危険な仕事を受けたのかと問われた彼は、幼少期を島で過ごした自分はシチリア人だからだとだけ答えている。

翌年、ファルコーネは、もう一つの鉱脈を掘りあてる。国際警察から舞い込んだマフィアの大物、トマーゾ・ブシェッタの自白だ。抗争で負け組となった彼は、部下や息子たちまで次々と殺され、拘留中に自殺をはかっていた。やがてイタリアに送還されると、ファルコーネたちの要請に応じて自白を決意した。

ついに大物が沈黙の掟を破ったのだ。その四十五日に及ぶ調書がなければ、大裁判は、実現しなかった。すると、対立していたコルレオーネ派、トト・リイーナの魔の手から命からがら生き延びたボンターデの殺し屋もこれに続く。こうして二人の供述から四七五人分の逮捕状が用意され、世紀の大裁判のために、まるで要塞のような裁判所が、パレルモの刑務所の地下に建設された。ちなみに十人が次々と辞退した第一審の裁判長を引き受けた気骨の人、アルフォンソ・ジョルダーノ裁判長は、九十二歳の長寿を全うしている。

八七年十二月の第一審で三四六人に有罪判決、十九人のボスに終身刑の判決が下った。

だが、胸を撫で下ろした頃から、ファルコーネはむしろ厳しい立場に立たされる。新聞にはマフィア捜査で名を売ったと揶揄《やゆ》され、パレルモのレオルーカ・オルランド市長には現役政治家の汚職に関する調書を伏せていると糾弾された。裁判で不正入札が確定した様々な工事が中断し、失業者たちが不満を訴えた。中にはマフィアが扇動したデモもあったという。

さらにパレルモ市民の中には、無関心どころか、物々しい裁判に冷淡な反応を示す人たちもいた。裁判中、「シチリア新聞」への記名の投稿には、朝晩、ひっきりなしに判事たちの警護車のサイレンに悩まされ、ゆっくりテレビを観ることもできない、暗殺が起これば、市民が巻き添えになるので、〝どうか、この親愛なる方々（判事たち）に、町の郊外で暮らしてもらえないものでしょうか？〟などと書かれていた。[26]

同年、カポネットが重病で辞任、その後任には現場で経験を積んだファルコーネほどの適任はいなかった。ところが、裁判所内での投票ではマフィア捜査の経験も浅い年配判事が選ばれ、パレルモの「マフィア捜査班」は、八八年、閉鎖された。ファルコーネは行き場を失い、法務大臣に請われて法務省の検事局長としてローマに赴く。そこでも彼は、闘いを止めなかった。それまで個々にマフィア捜査を進めていた三つの組織が情報を共有して捜査をするための機関を立ち上げた。それが、現在も活躍する「マフィア対策庁」（DIA＝内務省警察、国防省の治安警察、財務警察が情報を共有）だった。

惨劇の地と呼ばれて

二〇一五年三月、ファルコーネが暗殺されたカパーチを訪れた。パレルモから二十キロほど西へ向かった海岸線の町だ。空港から市内に入る時には必ず通る暗殺現場の直線道路には、オベリスクのような石碑が立っていた。だが、それより有名な反マフィアの象徴は、高台に見える「ノー・マフィア」の文字だった。

話を聴かせてくれたのは、この町で生まれ育ったダリオ・リッコボーノだ。

「事件の年、僕は十三歳で、父に連れられて現場にも行った。そんな年頃だったから、強く心に残った。後でそれがマフィアの仕業だと知らされて、なおさらだった。

その直後から、誰も知らなかった僕の町は、突然、有名な惨劇の町に変わった。観光客の中にはマフィアの町だと思い込んでいる人も少なくなかった。僕らの世代はそんな憤りとともに、どこかで罪の意識を抱えて育った。今では英雄だけど、ファルコーネたちはただ職務を全うしただけだ。問題は何もしなかった僕らだ。彼らに任せて、彼らを見殺しにした僕らだ。僕らの世代のシチリア人はみんな、心のどこかでそんな負い目を感じながら育ったんだ」

その彼が、この町でずっと活動してきたのが、「グルッポ・ジョヴァニーレ88」(青年団88)という地域おこしの団体だった。事件の直後、彼らがこっそり町中に貼ったメッセージは、暗殺現場にやってきた判事ボルセリーノやカポネットの胸を打った。

「ファルコーネは生きている」

「マフィアは恥であり、不名誉だ」

「黙する者は共犯だ」

団体の活動の中心には、常にマフィアとの闘いと脱セメント化による美しい海岸線の復活があったという。

なぜ、海岸線の美化なのか、ダリオに訊ねてみた。

「その頃のシチリアには、まだ公共の財産という概念が希薄で、美しい海岸は市民みんなのものという意識もほとんどなかった。日本とは違うんだ。シチリアは特にそんな傾向が強くて、海岸や道路はゴミで散らかっているのに、家の中はイタリアでも一番くらいに片付いている。文化の問題なんだ」

海岸線といえばコンクリートだらけで、そのせいで魚の産卵場をも失おうとしている日本を買いかぶられて恐縮した。そこで、カパーチの海岸を見たいというと、団体の創立者の一人、アントニオを紹介してくれた。

「昔は危ないゴミもいっぱいだったし、とても裸足で歩ける浜じゃなかった。セメント工場跡はそのままで、海岸の一部は郵便局や警察署に私物化され、自由に入れる海岸線は六十メートルほどだった。まずはそこから清掃して市民に開放したのがスタートだ」

その後は、子供たちから徐々に地元を巻き込んでいった。政治を変えようと仲間から町長を出し、コンクリート護岸や工場跡を少しずつ撤去し、生活排水の浄化槽を設置。こうして蘇った海岸線は、今では実に一キロ半にわたる。公共事業が生んだ無粋な環境を、住民活動で美しい景観に取り戻した成功例だった。

足を運んだのは、長雨の後に久しぶりに晴れた日で、吹きわたる風の芯はまだ冷たかった。遠くの岬の山並みは薄雲に包まれ、砂浜の先に瑠璃色の海が広がっていた。

「ここは遠浅で百メートル沖まで歩いても、水深は胸までだ。白砂でキメが細かいからさらっとして足にくっつかない。海水浴にこれほど適した海岸は珍しいよ」

アントニオは砂をひとつかみすると、指の間から落としてみせた。

午後、修学旅行で訪れたミラノの高校生を案内するという彼に同行し（写真）、そこで彼が、暗殺現場に警察よりも先に駆けつけたことを知った。

「当時はセメント工場が時々ダイナマイトを使うから、爆発音には慣れっこだった。ただ、この日の音はやけに大きい。窓から顔を出すと、ものすごい煙だ。すぐにバイクで現場に向かうと、道路脇の畑の親父さんたちもいた。強いオリーブの木が根こそぎ吹き飛ばされて散乱し、百メートルに渡って道路が消えていた。アスファルトが寸断され、地面が顔を出していた。戦争でも始まったのかと思ったよ」

五分後、十人くらいが駆けつけ、マフィアの暗殺らしいという話が耳に入る。そこで本業がカメラマンの彼は、恐る恐る現場の写真を撮り始めた。

「すると、二人の私服の男が近づいてきて、フィルムを警察で押収すると言う。一瞬、戸惑ったけど二十四歳だし、映画みたいに重要な証拠写真を撮った若者として貢献する自分の姿が浮かんだ。抵抗するでもなく差し出すと、もう一人がポケットにしまった」

ところが証人として呼び出された検察庁で、写真の行方を訊いても誰も知らず、現場の二人が何者かもわからなかった。まさか、修学旅行の話がそんな方向に展開するとは思いもしなかったが、怪訝《けげん》な面持ちで見守る生徒を尻目に、彼は続けた。

「だから僕は、秘密警察関与説に傾いている。考えてみたら、数分後に捜査当局の人間がもう現場にいるのも不思議な話だからね。それから、この事件には生存者がいる。前方車の護衛たちは即死で、車はずっと先の畑に吹き飛ばされていた。判事の車は爆風でできた穴の縁に激突したが、後方席の運転手は、ほぼ無傷だった。この日に限って、よく晴れて気持ちがいいから自分が運転すると判事が言い出したことで命拾いした。もっと言えば、判事がその瞬間、足元に落ちた鍵を拾おうと速度を落としたからかもしれない、判事の車に距離をとったことで、後方車の警官たちも生き延びたんだ」

それから彼は、道路の側溝に、犯人たちが四百キロの火薬を仕込んだ詳細を説明すると、坂道を登ってノー・マフィアと書かれたポンプ小屋のある高台へと誘った。そこからはカパーチの町と高速道路、海がきれいに見渡せた。

「実行犯の一人、ジョヴァンニ・ブルスカは、ここから目視でリモコンを押した。なぜ、その時間に通過することを知っていたかというと、ファルコーネの専用車を停めていた車庫の向かいに組織の息のかかった肉屋があって、今、出発したと報告したから。空港にも仲間がいた。これほどの爆弾を使いながら無関係な通行人を一人も殺さずに済んだことだけは、不幸中の幸いだ。ただ事件はここで終わらなかった。その後もボルセリーノと護衛たちが殺され、子供を含む五人が犠牲になったフィレンツェのテロや、やはり五人が命を落としたミラノのテロが起きた。未遂に終わったローマの爆破も犯人は同じ面子で、使われたリモコンも同じだ。もし、カパーチ事件で正しい捜査が進んでいれば、その後の悲劇は起こらずに済んだはずなのにね」

この事件には、当初、偽の証言者が仕込まれていたことで真相究明が遅れた。長い公判の後、実行犯はブルスカ、プロヴェンツァーノ、バガレッラ、逃亡中のマテオ・メッシーナ・デナーロら二十二人で、命じたのは、トト・リイーナとされた。

それにしてもなぜ、当時のシチリアには、これほど爆弾テロが横行したのか。

それを考える時、戦争の爪痕の深さに思い至らずにはいられない。今もシチリア島では、連合軍が落とした不発弾が時々、漁師の網にかかるという。米軍上陸に際し、シチリア島から南西へ約七十キロの離島パンテレリーアだけで、約六千二百トンの爆弾が投下された。カパーチ事件で用いられたのは砕石用の爆薬だが、不発弾から集めた火薬が闇で売買され、暗殺に使われたこともあった。殺しを命じた執念深いトト・リイーナの狂気の底にも、戦争は影を落としていた。十三歳の時、彼は父親と弟を失った。父親が畑で見つけた不発弾を闇で売ろうと持ち帰ったところ、誤って爆発したためだった。

ところでアントニオは、見学の最後に、遠方からの高校生たちに希望のある逸話を用意していた。ノー・マフィアの文字の秘密だ。

「事件の少し前、自宅の壁の塗替えで青いペンキが余っていたから、ふと思いついた。あのポンプ小屋は、空港からパレルモに入るみんなの目に入る。しかも事件の鍵を握る場所だ。夜はご丁寧にライトアップまでする。だったら、あそこに何かメッセージを書いてやろうとね。色が褪せる度にみんなで塗り直してきた。水道局も寛大で、子供たちが見学に来ると草刈りまでしてくれる。一ユーロもかけずに実現した記念碑だ」

高さ十二メートルの壁面に、夜中に梯子《はしご》をかけてこっそりペンキを塗る作業は、最初は命がけだったという。以来、彼は修学旅行が多い時期、毎日のようにガイドを無償で続けてきた。それでもまだ、惨劇の町のイメージを反転させるに至っていないという。

五十七日の極限状態の中で

パオロ・ボルセリーノ判事（享年五十二、次頁写真の右側）は、ファルコーネ（同左側）とは幼い頃、路地裏のサッカー仲間だった。その暗殺の知らせを受けて病院に駆けつけたボルセリーノの腕の中で、ファルコーネは息絶えた。そしてその夏、彼も同じ運命をたどる。

彼もまた、パレルモ大学法学部を首席で卒業し、当時のイタリアでは最年少で判事となった秀才だ。危険な任務から子供を作らなかったとも言われるファルコーネに対し、彼には、ルチア、マンフレディ、フィアメッタという子がいた。三人の子供たちを残して逝くのはさぞ無念だったことだろう。

マフィア捜査に携わるようになって、彼はあまりにも多くの親しい捜査官たちの死を見届けてきた。

最初は、米国の薬物取締局との合同捜査で薬物の密輸ルートを探っていたパレルモ警察署の機動捜査隊長だった。行きつけのバールで射殺された。その案件を引き継いだボルセリーノが次に失ったのは、ともに捜査を進めていた治安警察の大尉で、妻と幼い娘の目前で、祭りを見物中に射殺された。八二年、ラ・トッレ議員とダッラ・キエーザ将

軍が暗殺され、翌年、上司のキンニーチが爆殺される。早くに父を失った彼が、父親のように慕っていた人だった。八五年、ともに組織を追い込んでいた警察の機動捜査隊の一員が撃たれ、その三年後、親しかった副隊長も射殺された。この時、護衛の若い警官も殉職し、難を逃れたもう一人の護衛は取引を疑われたが、潜入捜査中に射殺された。八九年、ファルコーネの別荘で爆破事件を未然に食いとめた二人の警官も殺害された。

「今年も生き延びたね」ボルセリーノは、若い同僚たちによくそう言っていたという。

そして相棒の死から五十七日後の日曜日に悲劇は起こる。執念深いトト・リイーナが、入念に機会を待った[27]。ボルセリーノは、海辺の食堂で家族と会食し、病院に連れていこうと迎えにいった母親のアパートの前で護衛の警官たちとともに爆殺された。今も現場に植えられたオリーブの樹の根元には、献花が絶えない（85頁写真右）。

腐敗防止のための倫理教育

二〇一五年五月二十三日の早朝、パレルモ港に一隻の船が着いた。想像していたより、はるかに大きな船だ。船尾の垂れ幕には、ファルコーネやボルセリーノ、護衛の警官たちに至るまで暗殺事件の殉職者たちの肖像が描かれている。二人の判事は、今や国家の英雄と化していた。

港は出迎えの小学生たちで溢れ、市長たちの歓迎式典が始まると、ブラスバンドの演奏とともに、緑と赤と白の風船がいっせいに空に舞い上がる。子供たちは、平和と書かれた虹色の横断幕を掲げ、マフィアに見立てたドラゴンを踊らせてはしゃぎ出す。

船でやってきたのは、抽選に当たった全国からの小学生たちだ。彼らは前日の夜、ローマ北西部の港を出発し、島に着くと、二手に分かれて街に繰り出す。ボルセリーノの記念樹や暗殺現場、刑務所内の裁判所をめぐり、暗殺が起きた午後五時五十八分にはファルコーネの自宅前の記念樹の下（次頁写真左）で黙禱を捧げる。夜は、その墓がある聖ドメニコ教会ですべての被害者のためのミサに出席するという目まぐるしい一日が待っていた。

道路を練り歩く子供たちと、ずっとは疲れそうなので、少しだけ一緒に歩いてみた。

島中からプラカードを手にした様々な反マフィア団体が集まり、小さな子を連れた親たちや移民たちの団体も加わった賑やかな平和行進といった風情だ。

時折、アパートのベランダから白いシーツを垂らす家がある。隣を歩いていた人に訊ねると、暗殺直後、市民たちの間で広がった白いシーツ運動の名残りだという。

「白は平和と潔白の象徴で、白いシーツをベランダから垂らすのは、命を落とした判事たちや僕らのデモに共感するという意思表示なんだ」

誰からともなく拡がったこの活動は、マフィア問題に対して無関心や恐怖から黙してきた市民たちが、一歩、前に踏み出した証として深く記憶に刻まれているという。

子供たちは、島に五泊六日して、チニジやコルレオーネなどをめぐって犠牲者の遺族や捜査官から話を聞く。

この大がかりなイベントを判事暗殺の十年後に提案したの

は、判事の妹で、EU議会議員も務めた活動家マリア・ファルコーネだった。彼女は、教育省の協力によってファルコーネ財団を創立し、各地の大学と連携してマフィア現象と腐敗防止を学ぶためのプログラム作りを進めた。中でも彼女が情熱を注いだのが、この「合法性の船《ナーベ・デッラ・レガリタ》」と呼ばれる教育プロジェクトで、協賛には国家腐敗防止局（行政の汚職を防止するための独立行政機関、二〇一三年、現在の名称に変更）も名を連ねていた。

この「合法性」という何とも四角い言葉には、法治国家のルールが、南部にはいまひとつ浸透していないという焦りが滲《にじ》んでいる。イタリアの社会には、縁故主義《クリエンテリズモ》と呼ばれる習慣が根強く残っている。仕事を斡旋したり、苦情を解決してくれる権力者に対して、たとえば選挙票や賄賂といった見返りを提供する伝統で、南部では特に顕著だと言われている。権力者や親戚のコネで仕事を探す慣習が最近まで強かった日本人には、むしろ、北伊の人々よりも理解できる社会かもしれない。

だが、そんな習慣こそが、不正を蔓延《はびこ》らせるというわけで、「合法性」という言葉には、マフィアを遠ざけるためにも、そんな慣習から脱却し、コネではなく能力や努力によって職を得るフェアな社会を創ろうといった意味が込められているようだった。

ドイツの「トランスペアレンシー・インターナショナル」[28]という団体が、毎年、発表している腐敗認識指数というものがある。その国の公務員や政治家の腐敗度を計るための指数で、不正の認識が高いほど汚職は少ないという見方になる。この年のランキングでは、上位を北欧の国々が占め、日本は十八位。欧米諸国では、中元や歳暮、ご祝儀の習慣がある日本は汚職が見えにくい国として知られている。

イタリアはどうかというと、アフリカのレソトや南アフリカなどと並ぶ六十一位だ。八〇年代、ミラノの高齢者施設をめぐる贈賄事件に端を発する大規模な汚職が摘発され、政界を揺るがした。九一年には、腐敗防止のための学校教育プログラムの推進やマフィアの介在が疑われる自治体の議会の解散命令などが、国の法律にも組み込まれた。その結果、生まれたのが国家腐敗防止局だ。世界に格差が拡がる中で、政治や企業の倫理が問われている。最近、日本の教育現場にも取り入れられた倫理教育だが、そこには、戦前のようなゆがんだ国家主義への後退ではないかと懸念する声もあり、内容については今後も議論の必要があるだろう。

「合法性の船」は、腐敗と無縁な世代を育てようという国を挙げての一大プロジェクトだが、いつの頃からか、島には、修学旅行生や大学生、生協などの団体が、マフィアと闘ったシチリア人たちの話を聴きに訪れるようになった。コロナの蔓延以前、特にファルコーネやペッピーノが暗殺された五月には、毎年約五万人が足を運んでいた。

残された者たちの心の傷

二〇一八年の夏、ボルセリーノ判事の弟サルヴァトーレと待ち合わせたのは、パレルモの海沿いの旧市街カルサ地区の「ボルセリーノ薬局」だった。看板だけが残るこの店は、判事の実家だ。この年、彼は薬局を改装し、地元の子供たちの放課後教室として開放した。四人兄弟の次男で、兄と二歳違いの彼は、事件後、エンジニアとして働くミラノから故郷に通い、兄の死の謎を追究してきた。その活動は、「赤い手帳」運動と呼ばれた。現場の焼け残った車の後方席に置かれていた判事の革鞄から、事務的スケジュールを書いた黒手帳はそのままで、捜査メモだった赤い手帳だけが消えたからだ。

彼は、長い歳月をかけて黒手帳のメモや兄の足取りを調べ上げ、これを自費出版した。[29] そこからボルセリーノが、相棒の死の翌日から真相究明に全力を傾けていたことがわかった。また、護衛たちの命を救おうと内務大臣に会って軍の警護を要請したが、それが聞き入れられることはなかったこともだ。ボルセリーノは、妻には、「僕を殺すのはマフィアじゃなく、別の誰かだ。殺人は、これを許可する者がいるから起こる。その誰かには、僕の同僚もいるんだ」とまで訴えていた。

サルヴァトーレが、今も気がかりなのは、公判でのある部下の証言だという。ある時、ボルセリーノ判事が明らかに動揺した様子で「友の裏切り」について言及したというのだ。そこから職場の中にマフィアの協力者がいたという疑惑が浮上したが、今もその発言の謎は解けていない。

「兄は孤独だった。親友と呼べる人は、ほとんどいなかった。考えられるのは、上司のカポネット判事だが、会ってみると実にいい人だった。裏切り者は、記録係のパパルクッリだと言う人もいるが、それもとんでもない誤解だ。彼も真っ直ぐな人だ。生き残りは、それだけで後ろめたさのようなものを背負わされる。それればかりか、あらぬ疑いをかけられて二重に苦しむ。でもそれは、彼らが九死に一生を得たことを知ろうともしない人たちの中傷だ。

兄の事件でも運転手が生き残った。その瞬間、たまたま、すぐ出発できるように車のむきを変えようと移動して助かった。彼にも会ったが、今も暗闇でベッドから起き上がれないそうだ。車から出ようとした時、同僚の足を踏んだ。その感触が忘れられないそうだ。誰も生き残った者のトラウマには関心を向けないが、つらいよ」

遺族や生き残った人たちの心の傷と向き合っていくことが、島の再生の最も大切な課題である。そう彼は教えてくれた。それは、マフィアの遺族たちも同じだった。カパーチ暗殺に遭遇した一人の警官は、生き残りとは何かと問われて、こう答えていた。

「悲しいです。イタリアでは死ななければならないからです。命を落とせば、誰かが言葉を尽くし、記憶に留められる。しかし、生き残りはただの死に損ないです[30]」

インタヴューの終わりに、判事と最後に話したことを覚えているかと訊ねると、サルヴァトーレが少し考えてから、こう言った。

「電話するたびにパオロは、話の最後には決まって、なぜ島に戻って来ないのかと繰り返した。でも私は、そう言われるたびに、何か変わったというのかい、もし、島が変わったのならば、僕は帰るよと答えた。そして兄はこの島を変えるために命を捧げ、一方、私はエゴイスティックな選択をしたというわけだ。五十年前、私は自由になりたくて島から逃げ出し、ミラノに移り住んだ。気がつけばミラノは、さらに悪質なマフィアの街だ。もはや殺人は起こらない。金融や入札の独占、有毒物質の不法投棄と、もっと見えない、もっと危険な存在になった。私の選択は大いに間違っていたというわけだ」

ファルコーネ爆殺の一月後、パレルモの聖ドメニコ教会で追悼ミサが開かれた。蠟燭《ろうそく》を手にした厳かな反マフィア集会には、全国から集まったボーイスカウトたちとともに多くの市民が参加した。

ボルセリーノが、「ジョヴァンニ・ファルコーネは、マフィアという悪の力が、いずれ自分を殺すだろうという完璧な自覚の下に働いていました」と語り始めると、会場はしんと静まり返った。それでも相棒を職務へと駆り立てたものは故郷の島への愛であり、マフィアは自分たちの肉体を滅ぼすことはできても、その理想や次世代への遺産を消し去ることはできない。この時、彼が残した言葉は、参加した若者たちの心に深く刻み込まれた。


マフィアとの闘いは、あらゆる人々、こと若い世代を巻き込む文化的で、倫理的、そして宗教的な運動でなければなりません。

それは若者たちこそが、モラルの喪失や無関心、マフィアとの接触や共犯関係が放つ腐臭に抗う、自由の清々しい香りの美しさに、最も敏感だからです。[31]

ボルセリーノ判事の遺族は、パレルモ大聖堂での国葬を拒んだ。共産党だったファルコーネに対し、ボルセリーノは時の政権を握るキリスト教民主党の支持者で、彼を見殺しにした政府への無言の抗議だった。その後、長女のルチアは検事、長男のマンフレディは警官になって父の志を継いでいる。ボルセリーノの死をめぐる謎の解明は、政府とマフィアの暗躍を突きとめようとする長い裁判に持ち越された。だが、どうしても具体的な証拠には辿りつけなかった。こうして二〇二〇年の秋、容疑者とされた秘密警察の幹部や政治家は全員、証拠不十分で無罪となった。遺族たちには苦々しい結果とともに、裁判はコロナ禍で静かに幕を閉じた。

裁判所の中の小さな博物館

サルヴァトーレに会った翌日、パレルモ裁判所内の小さな博物館を訪れた。

入り口で荷物チェックを受け、迷路のような廊下を進むと、五階建ての裁判所の三階の奥でようやく「ファルコーネ・ボルセリーノ博物館」[32]を見つけた。

だが、扉が閉まっていた。一時間ほど待っても誰も来ないので通りかかった人に訊ねると、「予約はしたの?」と返された。訊けば、一般公開されるようになったものの、場所が場所だけに、今のところ週に二度ほどだという。そこで断念しかけたが、別の部屋の裁判官に頼み込んでみると、特別に開けてもらえることになった。

目を奪われたのは、金庫のような厚い鉄の扉だ。狭い廊下の右手に、小さな三つの部屋が並んでいた。一番奥のボルセリーノの部屋には、緑のチェックの裏地がついた紺色のコート、緑の革張りの椅子には革鞄。机の背にクリムトの「接吻」の複製がかかっていた。一方、ファルコーネの部屋はもう少し雑然としていて、机上には、アメリカ土産の年代物のコンピュータと銀行から押収した小切手が並べてあった。

その時、デニムのジャケットに、サングラスを頭にのせた小柄な人が入ってきた。元警官で、キンニーチ爆殺事件の被害者でもあるパパルクッリ館長だった。サルヴァトーレに教えられて来たことを説明すると、こんな話をしてくれた。

「二人ともお優しい方で、本当によくしてくれました。ボルセリーノ判事は、キンニーチ治安判事の事件後、私が入院していた病院に駆けつけてくれました。判事が、私の胸に手を置いたのでイタタタッと叫ぶと、ごめん、ごめんと謝りながら涙を流して喜んでくれました」

怪我はひどかったのかと訊くと、黙って一枚の写真を示す。こちらに背を向けた警官の正面に窓縁ごとガラスが吹き飛ばされた建物が見える。それから彼は、ガラスが割れ、扉の開いた手前の車の下の黒い水たまりを指さした。

「これは私の血です。大手術で何とか復帰しました。今もあちこち大変です」

以来、片耳はほとんど聞こえないという。「医師に奇跡的だと言われました。退院して、私が結婚した時には二人とも出席してくれて、それは喜んでくれました」

無造作に置かれたピンボケ写真の中で、ボルセリーノが彼の肩を抱いて笑っていた。

「当時は捜査で、コンピュータが導入され始めた頃でした。機械が得意だったこともあって、資料の記録係にボルセリーノ判事が私を誘ってくれました。身体が不自由になった私のことを心配して、二つも昇進させてくれたのです」

資料保管室には、コルレオーネで見た大裁判のための調書の原本が詰め込まれていた。映画のせいか、てっきり彼らの部屋は、身を守るために地下だと思いこんでいた。しかし、どの部屋にも大きな窓があり、外から誰かが狙おうと思えば難しくもなかった。つまり、分厚い鉄の扉で死守していたのは、自分たちの命ではなく、この調書だったのだ。

パレルモの春

八五年、「パレルモの春」と呼ばれた反マフィアによる市の再生を唱えたのが、市長のレオルーカ・オルランドだ。八五年から九〇年、九三年から二〇〇〇年、さらに二〇一二年から二〇二二年まで長きにわたってパレルモ市長を務めた。

二〇一八年の夏、市内に一族が所有するヴィラの書斎で短い時間、話を伺った。

父親はコルレオーネ出身の弁護士で大学教授、母は大地主の男爵家の出だった。母校パレルモ大学で公共法の教授をしていた彼が、政治の道を志した理由は、友人の不慮の死だった。一九八〇年のマッタレッラ州知事の暗殺事件だ。

その父、ベルナルド・マッタレッラは、山賊ジュリアーノの裁判でも、ダニーロ・ドルチとのダム建設をめぐる訴訟でも名が挙がり、灰色の議員と噂された人物だった。しかし、長男のピエルサンティは、州知事になると、すぐに入札制度の改正に着手し、明らかに反マフィアに舵を切ったことで暗殺された。日曜日の朝で、夫を守ろうとした妻も腕を負傷した。

「ピエルサンティは、若い頃、私の父の事務所で秘書をしていたのです。父の仕事場に遊びに行っては、よく話をしました。彼の弟セルジョは、その頃からの友人です。ピエルサンティが州知事になると、今度は私が法律顧問を頼まれた。彼が暗殺された時、セルジョに、ルーカ、政治家になってくれ、でなければ、兄は二度、死ぬことになると懇願された。それが、私が政治家になった理由です」

レオルーカ・オルランドは、事件後、イタリアで初めてシチリア州法に、マフィア犯罪に対抗すべく、市民の良心を育成する教育を盛り込んだ。行政法を修めて政界入りし、オルランドの改革を支えたセルジョ・マッタレッラは、二〇一五年からイタリアの大統領で、二〇二二年一月に八十歳で再選された。腐敗防止と反マフィアが、今でもこの国にとっていかに重要な課題であるかがわかる。

オルランドが、キリスト教民主党から出馬して市長に選ばれた背景には、もう一つ、カトリック教会の改革派による力強い働きかけがあった。

州知事暗殺直後、社会的キリスト教を掲げて「人間のための都市」という政治組織を立ち上げたのがエンニオ・ピンタクーダ神父だった。ニューヨークで政治社会学の修士号を修めたこのイエズス会の異端児が、反マフィアを神学体系に組み込もうと試みた神学者でジャーナリスト、同じくイエズス会の神父バルトロメオ・ソルゲとともに、パレルモに政治研究所を創立。若く、優秀で、汚職とは無縁な三十八歳の法学部教授オルランドに白羽の矢を立てた。

八〇年代、パレルモでいち早く沈黙を破ったのは、女性たちだった。

夫を暗殺された判事の妻たちが中心となり、八四年、「マフィアと闘うシチリア女性の会」[33]が結成された。後に市議会議員となったその一人は議会で訴えていた。シチリアは、政府の裏切りに屈辱と失望の歳月を送ってきた。しかし、今こそ、女として、母として切望する。政府は、民主主義を脅かすマフィアという暴力と、本気で闘ってほしい。彼女が、そう訴えたのは、暗殺されたラ・トッレ議員の遺志を継いで、シチリア島でのＮＡＴＯのミサイル配備の撤回を求める陳述においてだった。

会の中心には、マフィア研究家サンティーノの妻アンナもいた。その活動の大きな成果は、反マフィア教育をイタリア全土に浸透させていったことだ。彼女たちは、学校に足を運び、子供たちに語りかけ、同時に、パレルモの貧困地区での生活支援の輪を広げていった。こうした勢力を味方につけながら、オルランドは、社会党、自由党、共和党も加えた連立体制を築くことで、マフィアと癒着してきた与党、キリスト教民主党の旧勢力を牽制した。しかし、再任をかけた選挙では十分な票を集めながら、市議会の半数以上の信任が必要だった旧選挙法の下では市長になれず、離党して「ラ・レーテ」という新党を発足した。

九三年は、シチリア再生の年と呼ばれた。ＥＵ統合のこの年、イタリアでは国民投票によって選挙法が改正され、オルランドは、圧倒的な支持を得て市長に返り咲いた。
この年、シチリアでは二十二人もの女性市長が誕生した。

未亡人との出会い

二〇一五年の秋、みかじめ料を払わないと公言して殺されたリーベロの妻、ピーナに会うことができた。

彼女は、夫が撃たれた当時と同じ、パレルモのダヌンツィオ通りのアパートで暮らしていた。立ち会ってくれた娘のアリーチェは、ブルネットの長髪で、切れ長の目元や薄い唇、尖った顎が父譲りだ。一方、八十五歳のピーナはつややかな白髪に透けるような空色の目をした華奢な人だった。家に通された時、アリーチェが、母は最近、物忘れがひどくてと小声で囁いたが、取材中はまったくそのことを感じさせなかった。

最上階の部屋は広々としたテラス付きで、レースのカーテン越しに午後の柔らかな光が差し込んでいた。日本の菓子を差し出すと、紅茶を淹れてくれた（写真）。

彼女の夫にリーベロ、自由という名をつけたのは、ファシズム政権を批判して一九二四年に殺害されたジャコモ・マッテオッティの「我々が目指すのは、国民の自由である」という最期の演説に感銘を受けた叔父だ。リーベロが生まれたのは、この事件の約一月後のことだった。

シチリアが空爆を受けるようになるとローマに疎開し、政治学を学んだリーベロは、ファシストが仕掛けた無謀な戦争に加担する気はないと兵役を拒否し、パンテオン裏の修道院に身を隠した。当時、古都の多くの宗教施設には、ユダヤ人、脱走兵、社会主義者、米英の兵士と立場の異なる人々が大勢匿われていたという。彼は、ここで修練者の僧衣を受けたが、あくまでも修道院の図書館に自由に出入りするのが目的だった。それでも修道士たちの清貧の暮らしぶりに感化され、経営者となった後も素足に革サンダルで通した。

戦後、兄の誘いで、北部の町で高級下着の縫製会社を創立。やがて島に戻って独立し、「シグマ」社を設立した。百人強の工員のほとんどが戦争未亡人など女性だった。

その頃、彼は急進党に入党した。こう訳すと、たとえば移民を排斥する極右などの政党を連想しそうだが、イタリアの急進党は左翼系で、社会の中で人権を侵害された人々に寄り添うという意味でのラディカルな自由主義者だった。反強権主義、反禁止主義、あらゆる偏見や政治的締めつけに異論を唱える小さな政党だった。

まずは二人の出会いから訊ねた。

「最初に出会ったのは十六歳の頃よ。姉の同級生だったの」

第一印象は、どんな風だったのだろう。

「すごく感じ悪かった。美しくて女にモテる男って、みんなそうじゃない」

ピーナはくすくすと笑った。再会した時はともに三十代の既婚者で、カトリック教会が強かった当時は離婚が許されなかったこともあって婚姻法の改正を唱えていた急進党に共鳴した。親密になったのは、労働運動家のダニーロ・ドルチが主催した漁師のためのハンガー・ストライキに一緒に参加した時だという。夫としてのリーベロはどんな人だったのかと訊くと、「九割は聖人、どんな人にも誠実だったから。そして彼の短所は、私だけが知っている秘密

ってことかしらね」とまた悪戯《いたずら》っぽい笑みを浮かべた。

マフィアとの対立で恐ろしい経験をしたことはなかったのか。

「脅迫電話はしょっちゅうだった。この地区に工場を移してからよ。ここはマドニア一家の縄張りだったけど、当時はそういう事情も知らなかった。一度は、飼っていたディックという犬が攫《さら》われて、一か月後、骨と皮ばかりになって帰ってきた。死んでしまうのじゃないかと思ったけど、みんなで一生懸命に介抱したら何とか元気になった。みかじめ料を払わなければ安心して暮らせないぞというマフィアの脅しなの」

心理的に追い込むあざとい手口だ。愛犬や家畜を殺された人は少なくなかった。現代にあって動物虐待を公然と行うマフィアは、動物愛護の観点からも由々しき問題なのである。

なぜ、リーベロは恐れなかったのだろう。

「それはきっと、この町で四十年近く工場を経営してきて、まだ生きていたからだと思うわ。私たち家族も、まさか命まで奪うなんて考えてはいなかった」

もし、つらくなければとことわって、事件の日のことを訊いた。

「あの朝、いつものようにこのテラスに出た。リーベロは、あそこで仕事の前に朝の空気を吸うのが習慣になっていた。そこに数日前、私が剪定《せんてい》した日日草《にちにちそう》の鉢があった。彼は、それが気に入らなかったようで、僕の好きな花、切っちゃったんだと不機嫌だった。でも、あの日の朝、テラスに出たら、蕾がついていて一輪だけ花も咲いていた。ほら、私の剪定がよかったんじゃないって威張ったの。リーベロは黙っていたけど、口元は笑っていた。それから廊下まで見送って、それが最後の会話になった。……二人とも頑固だし、夫婦ってつまらないことで喧嘩ばかりするじゃない。でも深いところでは理解し合っていたの」

銃声は聞こえたのだろうか？

「ええ、ひどい話だけど、その頃は治安も悪かったから銃声には慣れっこだった。その音が聞こえてすぐ電話が鳴って出損ねたら、次にインターホンが鳴ったの。掃除の者ですけど、と言うから、テラスから何が起こったのか見たいのかなと思った。でも、『一人で住んでいるの』と訊かれて相手が何を言いたいのかわかった。すぐに階段をかけ降りたけれど、私は、リーベロが殺された姿なんて見たくなかったから、そのまま階段にずっと座っていたの」

周囲がバタバタと慌ただしくなる中、呆然とするその姿がありありと浮かんだ。彼女をその日の絶望の中に引きずり戻したようで罪悪感に駆られて黙っていると、アリーチェが助け船を出してくれた。

「ママは二年半、『緑の連盟』の議員もつとめたの。政治家としてのママは、なかなかのやり手だった。マフィア被害者の遺族を救済するための法改正にも貢献したのよ」

環境運動と反マフィアは同義

娘の言葉に励まされて、ピーナが続けた。

「あの時代は楽しかった。政治家は向いていたみたい。でも、九四年からベルルスコーニでしょう。立たなくてよかった。ベルルスコーニ政権の議員ってしんど過ぎるわ」

でも、なぜ「緑の連盟」だったのだろう。緑の連盟は、一九九〇年に創立した自然保護と平和、反グローバリズムを掲げる政党だった。

「その前から、リーベロと『緑の連盟』で活動していたからよ。急進党から生まれた、環境問題に取り組んでいこうという一派なの。だってね」というなり、彼女はテラスへ出て、フェンスから身を乗り出し、こちらへ来いと手招きした。

隣に並ぶと、遠い山の麓まで老朽化の進んだコンクリートのアパート群が連なっていた。

「ここに越してきた頃はこんなじゃなかった。見渡す限りのオレンジ畑だったのよ。だって黄金の盆地《コンカ・ドーロ》って呼ばれていたんだから。それをマフィアと腐敗した政治が、コンクリートの盆地に変えてしまった。私たちは、この街の悲しい変貌ぶりをずっと、このテラスから見てきたんだもの」

その瞬間まで反マフィアと環境運動がつながる理由がいまひとつ理解できずにいた。だが、目の前の風景はあまりに饒舌だった。だから、建築ブームによる乱開発が進んだ時代、緑豊かな古都を愛した人々は、その変貌ぶりを「パレルモ占領」と呼んだのだ。

同時に考えさせられたのは、それが、日本ではむしろありふれた風景だったことだ。長期的展望に欠ける都市開発、その結果としての環境や景観の破壊、腐敗した政治と黒社会との癒着、それは同じように敗戦国から経済大国へと必死で這い上がった日本という島国にも、それほど縁のない話ではないのかもしれない。

居間に戻ると、アリーチェが言った。

「父はいつも、人より何歩も先を行く人だった。あの時だって、自分が行動を起こしさえすれば、きっと企業家たちもついてきてくれると信じた。そしてみごとに裏切られた」

協力の声がなかったわけではない。メッシーナ郊外の町カーポ・ドルランドのターノ・グラッシたちは連帯を申し出た。

「彼はマフィアが隣町にしかいない平和な町の産業連盟の代表だったから、あの頃でも団結できた。けれど、マフィアの手中にあったパレルモのような都市で父は一人だった」

「でもね」とピーナが娘を諌めた。「恐喝防止法の改正のために頑張ったのは、ターノだった。だからマフィア被害者の遺族への補償制度も整えることができたのよ」

その法律ができるまで、被害者は泣き寝入りだった。リーベロ（写真）の死後、銀行や役場までが露骨に遺族とかかわろうとせず、彼女たちは工場を手放す羽目になった。

実行犯のサルヴァトーレ・マドニアに有罪が確定したのは十五年後のことだ。命じたのはボスで、その父親だった。リーベロが撃たれた現場は、アパートからすぐの通りで、そこには自治体の石碑はない。一家がそれを拒んだからだ。代わりに毎年の命日には、アリーチェが、模造紙に油性ペンで手書きの碑を貼り出す。

「冷たい石碑より美しいでしょう。父のためにも生きた記念碑にしたかった。でも言葉は私たちが考えたんじゃないの」
事件の二日後、誰かが、こんな落書きを残した。

リーベロ・グラッシ、
企業家で勇敢なる男、ここに死す。
マフィアと、
産業連盟の沈黙《オメルタ》と、
政治家たちの無関心と
国家の不在によって殺された。

話を聞いた翌年の夏、ピーナは、突然、倒れて帰らぬ人となった。
アリーチェの兄でリーベロの長男のダヴィデは、倒産した父親の会社を復活させている。ピーナらの政治活動から、事件の十年後、ようやく政府の補償金が支

払われ、これを軍資金に工員二十人の高級下着の小さな工場「新シグマ」の操業を始めたのだ。

真夜中のステッカー貼り

「Addio《さよなら、》 Pizzo《みかじめ料》 協会」[34]は、二〇〇四年の蒸し暑い夏の日、行きつけのバールでの若者たちの何気ない会話から生まれた。

その一人、ラウラに二〇一七年、会うことができた。待ち合わせたのは、ポリテアーマ劇場そばのパブだ。三十席ほどの小さな店は若者たちで溢れ返っていた。現れたのは、茶色の髪を肩でカールにした青い瞳のふくよかな女性で、そのまっすぐな眼差しのせいか、初対面のこちらを緊張させせない人だった。現在は医師の夫と一人娘を育てながら、パレルモ市役所の移民課に勤めている。

彼女はチーズのサラダと赤ワイン、私はシチリア産ツナのサラダに白ワインを、それぞれ注文した。サラダは大盛りで、ゴマをふった香ばしいパンつきで空腹を満たすには充分だった。狭いテーブルでこれを頬ばり、気心が知れてきたところで本題に入った。

「パレルモ大学を卒業したばかりの学部もバラバラの友だちが四～五人。シチリアでは、卒業したら就職で島を出る人が多いけど、私たちはできれば、この島で働きたかった。そこでみんなで出資して、フェアトレードの商品を並べるエシカルなパブでも共同経営したいね、という話で盛り上がった」

エシカルとは、倫理的という意味で、環境にも、人にも配慮した消費を促す新しい潮流だ。

「試しに資金がどのくらい必要か書き出してみよう、となったけど、経理なんか誰もやったことがないから、経済学部のマウリツィオを誘った。そうしたら彼が、賃貸料、営業許可の手続き代、家具代、光熱費……とリストを作った時、そこに、みかじめ料と書き込んだ。何それって訊くと、彼が、パレルモじゃ、そうなんだと答えたから、みんなショックを受けてしまった。

それまでマフィアに接することなんて一度もなかったし、パレルモに暮らしていてもどこか他人事だった。でもその時、私たちは初めて、マフィアのことを自分たちの問題として考えることができたのだと思う。結局、パブ計画はちっとも進まなかったけれど、そのことがずっと気になって、自分たちに何かできることはないかと考え始めたの」

やがて仲間は八人になる。心理学部のラウラ、マウリツィオ、医学部のラファエッレ、ダニエーレ、アンドレア、法学部のウーゴ、工学部のフランチェスコ、非常勤講師のヴィットリオだった。なぜ、女が一人なのかと訊くと、彼女は「人生最大のモテ期かな、でもあまりにも短かった」といって豪快に笑った。

その後、何度も話し合い、これまでの反マフィア運動に決定的に欠けていたものは、集団でのアクションではないか、という話でまとまった。そこから生まれたアイデアは、かなりユニークなものだった。真夜中のゲリラ戦である。

「みかじめ料を払わされている商店主たちを責めたところで何も変わらない。そういう店で知らずに買いものをする私たちもみんな、間接的にマフィアに収益をもたらしているというメッセージを発信できないか、と考えた。活動で誰かがカリスマ化するのでもなく、たくさんの人に共感してもらうために匿名性を重んじることにした。そこから生まれたのがこっそり貼れるくらい小さなステッカーを手分けして街に貼りまくろうという案だった。みんな貧乏だったけど、ステッカーの印刷代くらいなら頭数で割れば大丈夫だった」

みかじめ料に的を絞った彼らの発想の源となったのが、リーベロだった。テレビ番組の中での「みかじめ料を払わないことが、私の企業家としての尊厳だからです」という彼の言葉を取り込もうと、ヴィットリオが考えたのはこんなメッセージだった。

「みかじめ料を払うのは、尊厳を忘れた市民である」

こうして二〇〇四年の夏の真夜中、街がひっそりと寝静まった頃を見計らい、目抜き通りに五百枚のステッカーを貼ってまわった。

「最初はマフィアや警察の反応も想像がつかなかった。それで男ばかりで夜中の二時に決行した。標識の柱や店のシャッターに勝手に貼るのはそもそも違法行為だし。すると翌日のニュースでものすごく取り上げられたからびっくり。後で見たら、まっすぐ貼れているのが一枚もないから、やっぱりビビっていたのよね」

巷は、いったい誰の仕業かという話題で持ち切りで、州知事は、議員や警察を集めて緊急会議を開いた。現実には払っていない人も多い中で、こうした表現はシチリアへの新たな誤解を生むと批判した学者もいたが、メディアの反応はおおむね良好だった。若者たちのパフォーマンスの功績は、人が殺されなくなったその頃も、まだ一種のタブーだったみかじめ料問題を、公然と議論のテーブルに乗せたことだった。

リーベロの事件後、パレルモで生まれた恐喝防止団体「Sos Impresa（企業SOS）」の二〇一一年の調査報告[35]によれば、マフィアによる闇の経済規模は、約一三八〇億ユーロで、国家予算の七％に相当すると推定された。その組織全体の収益にみかじめ料が占める割合は十六％ほど。個人店は、月に約二万八千円〜七万円（二百〜五百ユーロ）で、スーパーは約七十万円（五千ユーロ）、建設業界では約百四十万円（一万ユーロ）の場合もある。一度でもみかじめ料を払った経験のある企業家や商店主の割合は、中北部で五〜十％だったのに対し、南部諸州のカラブリア州で五十六％、カンパーニャ州で四十％、プーリア州で三十％、ことシチリア州では七十％だったという。現在では、この数値は半減しているというが、通報する人の少なさもあり、その実態は掴みにくいのが現状だ。国立統計局によれば、二〇一三年、警察が受けた恐喝の通報、約九千件のうち、半数近くはカンパーニャ州で、次は大都市ミラノのあるロンバルディア州、シチリア州は三位だった。

マフィア研究家のサンティーノは、この調査結果をこう説明する。

「コーサ・ノストラという組織が、地域に根ざしているからだ。みかじめ料は、彼らの縄張りで経済活動をする人々に対し、自分たちがビジネスの指導者であることを顕示するための象徴的な行為なのだ」

みかじめ料の徴収は、たとえ少額だとしても、企業乗っ取りや国際的な資金洗浄といった深刻な事態への入り口になり得るという。真夜中のステッカー貼りに対し、軽犯罪法違反へのお咎《とが》めもなく、警察がむしろ好意的だったのは、当時の捜査当局も、根強いみかじめ料問題に手を焼いていたからだった。

メディアの好意的な反応に気を良くした彼らは、第二弾のステッカー貼りを全員で決行。メッセージを浸透させようと、ウェブサイトを作り、誰でも自由にステッカーをダウンロードできるようにした。広告費などなかったので、ある時はサッカーのスタジアムに観戦に出かけ、テレビカメラに映り込む場所を狙って横断幕を掲げた。

その二か月後、彼らは、リーベロの妻ピーナを訪ねた。自由という名の企業家を運動のシンボルにしたいと考えたからだ。彼を孤独へ追いやったのは産業連盟ばかりではなく、市民の無関心も同罪だった。

上院議員の後、ＥＵ議員となってマフィア被害者と遺族の補償制度についての法案を成立させたピーナは、若者たちの運動について新聞の取材にこう答えていた。

「もし、このステッカーを貼ったのが、私たちと同じ考えを抱く若者たちならば、彼らは間違いなく、リーベロの遺志を引き継いでくれる私たちの孫です」

ラウラは、その日のことをよく覚えている。インターホンから、どなたというピーナの声が聞こえた時、彼女たちはみんなで答えた。あなたの孫たちです！

ピーナは相談役に止まらず、いっしょに企業家のもとにも足を運んで説得してくれた。かつての産業連盟の冷淡な態度に傷ついた一家は、企業家の集まりとも疎遠だった。若者たちの活動は、そんな遺族のあり方にも変化をもたらした。

買い物で社会を変える世界の潮流

翌年、ラウラたちは、みかじめ料を払わないと決めた企業や商店のネットワークを作り、その輪を広げていけないか、市民が自分事として受け止めてくれるようなやり方はないかと知恵を絞った。そして自分たちと同じ消費者から始めることにした。払わない店のリストの前に、まず、そんな店を応援したい消費者のリストを作った。その頃には約四十人に増えていたメンバーで署名活動をすると、すぐに三五七一人のリストが集まった。

そこに助っ人も現れた。歴史に残る判決文を書き上げた検事の一人で、多くの捜査に貢献し、後に国会議員、短い期間だが大統領も務めるピエトロ・グラッソだった。その彼が、何か協力できることはないかと声をかけてくれたので、集めた消費者リストの話をすると、すぐに「シチリア新聞」に掛け合ってくれた。こうして二〇〇五年五月二十日、新聞の見開きにみかじめ料を払わない店を応援する市民すべての名が掲載された。

買い物をするということは投票と同じだ、とよくいわれるが、全氏名の掲載は集団による買い物の力が社会を変えることを世に示した力強いパフォーマンスだった。

いよいよ次は、払わない商店や企業のリストだ。これだけの応援団が地元にいることを示した後ならば、手を挙げてもいいという商店主たちもきっと集まるはずだ。

「その頃もまだ、払わないと公言することを多くの人が恐れていた。それはテレビでそう訴えて殺されたリーベロのことが脳裏に焼きついていたからでしょう。彼は孤立していた。ならば、大勢が束になってスタートを切れば状況は変わる。また、みんなで一軒一軒歩いて賛同してくれる店や会社を探した。本当のことを言えば、メンバー四十人が、友だちや親戚が太鼓判を押す人に声をかければ、それだけでもかなりの数になった」

翌年、イベント会場で最初の百軒を掲載した小冊子を百部、無料で配布した。加盟店にステッカーを配り、「さよなら、みかじめ料カード」も発行した。デザインを重視したことも、これまでの反マフィア活動とは一線を画すものだった。加盟店のロゴは、明るいオレンジ色の円にバツ印（写真）。閉じない円環は、万人に開かれたイメージだという。

ロゴに批判的消費《コンスーモ・クリティコ》と書かれている理由を、ラウラに訊いた。

「ちょうどグローバル化の負の側面が取り沙汰されて、生産地を困窮させる貿易や環境汚染を引き起こすフードシステムへの批判が高まり、買い物をする消費者の責任が問われるようになった頃だった。その言葉は、私たちの世代に共通するテーマだからよ」

批判的消費とは、一九六八年、ヴェトナム戦争で使用された武器や枯葉剤を生産する企業に投資しない投資家たちに触発されたアメリカのアリス・テッパー・マーリンが使い始めた言葉だ。彼女が創立した団体は、軍需産業への加担の有無や女性やマイノリティーの労働を物差しに、雑誌「より良い世界のための買い物」を八六年に刊行、その書籍化はベストセラーとなった。同じ頃、英国で、「エシカル・コンシューマー」（エシカルな消費者）という雑誌を創刊した学生たちの団体は、現在も「より良い世界の買い物ガイド」を出版している。[36] フェアトレードと動物愛護の先進地である英国では、動物を虐待せず、労働者にも地球にも優しい商品を選ぼうと訴え、これをエシカル（倫理的）

消費と名づけた。また環境に配慮した商品を選ぼうという「グリーン・コンシューマー」(緑の消費者)の運動も生まれた。

反戦から始まったこの潮流は、やがてグローバル経済の成長とともに、生物多様性や環境に負荷を与える商品は買わない、運送によって環境汚染を招かない地元の食材を選ぼうといった意味合いが付加されていく。利潤に走る企業を批判するばかりでなく、自分たちの消費行動を見直し、選んで買うことで、環境や社会を良くする商品を応援し、影響力のある企業を動かそうという新しい潮流だ。要するにSDGsの先駆けのような発想である。近年、日本でもようやくエシカル消費やグリーン・コンシューマーといった言葉が拡がり始めている。批判的消費という言葉も、エシカル消費と訳すのが正解かもしれない。

そこにマフィアにお金が流れない経済を育てようという目的が加わった、このパレルモの若者たちの運動は高く評価され、内務省からも三年間の助成金を受けた。すると活動費を引いても約二万五千ユーロ(三百万円強)の余剰が出たので、どう使うかを投票で決めることにした。

「私たちが提案したのは二つ。まず、最近まで第二次世界大戦中の空爆の瓦礫が放置されていたパレルモの旧市街カルサ地区に的を絞った。一案は、カルサ地区の主婦たちが日替わりで調理する食堂を運営するというもの。地域のための社会的な食堂ね。もう一つはこの地区のマジョーネ広場に芝生を敷き、子供たちの遊具を設置する案。すると投票の結果、広場の方が選ばれた」

これをきっかけに、広場の周辺には少しずつ食堂やカフェも生まれ、旅行者も楽しめる場として蘇りつつある。

楽しくてこその社会活動

そんなある時、パレルモ郊外の小さな村カッカモから一通のメールが届く。

人口約八千人の村で、小さな店を営む兄妹が、地元のマフィアにみかじめ料を要求され、警察に届けたところ、それが原因で嫌がらせを受けているというのだ。当時のことを、ラウラが話してくれた。

「兄妹は、ご両親と小さなゲームセンターとパブを経営していた。警察に届けて犯人も逮捕されたけど、その後、週末は若者たちのたまり場だった店に、急に客が来なくなった。それで困ってメールしてきたの」

　店の主人、ジョルジョにも電話で話を訊いた。

「ある男に、ちょっと用があるから運転手をしてくれないかと頼まれた。でも、彼が薬物の売人とつながっているのを知っていたし、犯罪に巻き込まれる恐れもある。断わると今度は、ある人によろしく伝えておくから金を渡せと言う。両親にも相談して、すぐ通報した。警察はすぐ動いてくれて、他の罪状もあったから四年の懲役だった。

　僕らは両親に反マフィア教育を受けてきたんだ。十五歳の時は、ファルコーネやボルセリーノの葬儀にも参列した。あれほど自分の死が見えていながら、逃げ出さなかったボルセリーノのことを、僕は心から尊敬している。護衛の警官たちも本当にすごい人だ。ラウラたちの団体に連絡してくれたのは叔母で、テレビでサッカーを観ていたら、画面に横断幕を持つ彼女たちが映って、すぐ連絡先を探したんだ」

　客が消えたのは、いわばマフィアによるボイコット運動だった。あの店に行くなという脅しがかかったのだ。ならば、ラウラたちには、ここが買い物力の示しどころだった。

「こんな事情だから、みんなで行って励ましてと会員たちにメールを送った。それまでメンバーの誰一人、みかじめ料を要求された経験さえなかった。あの日、本当に苦しんできた人を目の前にして初めてやってよかったと思えた。でも、義務感じゃないの。週末になると五十人くらいで出かけて、みんなで食べて、飲んで、ゲームやビリヤードをして。大変なことは何ひとつなくて、ただただ楽しい思い出なの。本当の社会活動ってああいうのが理想ね」

その頃の話をジョルジョにも訊くと、電話の向こうで急に涙ぐんだ。

「ごめん、だってラウラたちとの出会いは本当に貴重で、今も思い出すとね……。ある晩なんか、この店でイベントをやろうと人を集めてくれて二百五十人もやってきた。たった一日の売上げが、当時の一月分以上だったんだ」

その後、兄妹は、通販でも売れる業態に移行しようと菓子屋「シメカ」を起業する。復活祭やクリスマスの伝統菓子、島産の高級ピスタチオを使った焼き菓子は、今ではシチリア島だけで百三十以上の店が扱うまでに成長した。

立ち上がる企業家たち

二〇〇五年末、イタリアでは、カルサ地区の「アンティーカ・フォカッチェリア・サン・フランチェスコ」の五代目、ヴィンチェンツォが時の人となった。かつてアラブ人

新書がもっと面白くなる

2022

12月の新刊

新潮新書

毎月20日頃発売

Ⓢ新潮社
〒162-8711 東京都新宿区矢来町71 TEL.03-3266-5111　https://www.shinchosha.co.jp

居留区だった地域の伝統料理のひとつが、この老舗の食堂で味わえる、大鍋で煮込んだ牛の胸腺をはさんだパニーニだ。

ラウラが、その時のことを話してくれた。

「ある時、すごい金額を払えと要求されて、断ったら、店の前でのひったくりや客の車に傷をつけられるといった嫌がらせが続いた。すると、厄介を払ってやると、またお金を要求された。そこでヴィンチェンツォは報道番組でみかじめ料など払いませんと公言した」

ヴィンチェンツォには、脱税の罪で拘留された過去があり、その時、組織の男に目をつけられたのだ。刑務所で世話を焼いてもらった礼に、その男の妻を雇ったのが悪夢の始まりで、様々な脅しや嫌がらせが続いた。だが、このままでは店を乗っ取られると提訴を決断したことで、老舗はなんとか存続することができた。その公判にも、ラウラたちは、Addio Pizzoと書かれたTシャツ姿で押しかけ、傍聴席に陣取った。その後、店の経営権は、この老舗を守りたいという大手書店「フェルトリネッリ」の傘下、そして次に別の協同組合に委ねられ、今ではローマやミラノにも店舗を拡げている。

その二年後には、パレルモの建築用工具の工場で火事が起きた。みかじめ料を払わないことへの報復だった。多くの人が、マフィアによる武器の密売や高利貸しの借金で命を落とし、薬物で一家離散しているのに、そんな組織に金を渡すのは、キリスト教徒としての倫理に反する。そう公言した工具メーカーの社長グアヤーナは、すでに「さよなら、みかじめ料協会」の会員だった。

相談を受けたメンバーは、すぐ地元の議員や反マフィア団体に連絡し、彼を応援しようと呼びかけた。かつてリーベロの工場は銀行から融資を断られ、当時は国の補償もなく、倒産を余儀なくされた。しかし、この時は若者たちが動いたことで、地元の商工会も教会もこれを支援。州も異例の速さですぐ使える工場を無償で提供し、ピーナたちが、被害者の補償金制度を整えていたおかげで、これもすぐ仕払われた。こうして秋には、前より広く新しい工場で誰一人失業することなく操業を再開できた。

この画期的な出来事は、企業家たちの意識を大きく変えていく。

それは、捜査官にとっても新たな鉱脈だった。恐喝を受けた人を通じて、見えない組織にたどりつけるからだ。ラウラが教えてくれた。

「それまでは傍受活動で恐喝を受けているとわかった商店主に捜査官が電話をしても、みんな何も知りませんと答えていた。すると、よく黙っていてくれたと、マフィアは必ず戻ってくる。だから彼らがみかじめ料を要求されたことを公言し、提訴までしたことは画期的だった。その後、たくさんの商店主が捜査にも協力するようになったの」

その捜査から、大物たちも検挙された。殺人やコカイン密輸の容疑がありながら、尻尾をつかめずにいたカルサ地区のスパダーロ一味やゼン地区の公共団地建設などで財を成し、広域を治めたロ・ピッコロ一味である。一連の捜査は「さよなら、みかじめ料作戦」と呼ばれ、その後の摘発にもつながった。

現在、この協会に加盟する店は九七一軒（二〇二二年）、これを応援する消費者は一万三四九七人。連携する教育機関は一八四校に増えた。

自由な未来を建設中！

「さよなら、みかじめ料協会」の事務局は、パレルモ駅からすぐの中国人街の古いアパートの二階にあった。訊けば、マフィアからの押収物件を、社会活動のためだというので無償で州から借りているのだという。常時、活動しているのは約二十人だが、有給で常駐するのは二人だけで、イベント時などはすべてボランティア人員だという。

壁にはコッポラ帽の男たちのまぬけな会話が吹き出しになった、反マフィア・キャンペーンのポスターが貼られていた。

「おい、ここ、さよなら、みかじめ料に加盟しているぜ」

「知ってるよ」

「知ってる？　こりゃ、ヤバいってことだぞ」

「わかってるって言っているんだ」

「わかってるだと？　ヤバいってのは、なぜ、安全でまちがいねえ店（みかじめ料を払う店のこと。筆者）に俺を行かせねえのかってことよ」


てっきり創作かと思えば、警察の諜報活動から発覚した本物のマフィア同士の会話だという。若者たちの思いつきから生まれた運動が、実際的な効力を発揮し始めていた。

その活動と、脅しを跳ね返した企業家たちのことがメディアで話題になると、相談に来る人が増えた。すると警察に届け、提訴するにあたって、法的手続きをサポートする専門家が必要になった。そこで法学部出身の初期メンバーたちは弁護士になると、これを仕事とした。リーベロの事件後、恐喝や高利貸しの相談を専門にする弁護団が各地に育っていた。しかし、市民ボランティアの大切さを説くのは、医師として働きながら、恐喝を受けた人の相談にのり続けているラウラの夫、ラファエッレだった。初期メンバーの八人のうちの一人だ。

「相談相手には、いつも三人のチームで付き添う。一人は国選弁護士で法的な手続きを進める。銀行の手続きなどをアドバイスする人間も必要だ。けれど実際にやってみて、その必要性をひしひしと感じたのは、常に相談できる人間が必ずひとり付き添うことだ。届け出ても、逮捕から裁判で決着がつくまでイタリアでは三年かかるし、もっと長引くこともある。そうなると専門家だけでなく、心細い思いをしている人を孤立させないように同じ市民目線で寄り添う人間が要る。その精神的なケアが何よりも大切なんだ」

そんな活動から生まれたのが、「リーベロ・フトゥーロ」、自由な未来という団体だった。

そこで、二〇一七年、会長のエンリコ・コラヤンニにも会ってみた。珍しい苗字なので、もしやと思って訊いてみると、十九世紀の政治家、ナポレオーネ・コラヤンニの末裔だった。イタリアを揺るがせた銀行の元頭取殺人事件の疑惑を究明した社会学者である。エンリコの父、ポンペオ・コラヤンニは市議会議員で、最近、トリノがドイツ軍から解放された時の記録フィルムにパルチザンの総司令官として活躍するその映像が見つかって話題になった。

高い鼻、尖った顎、矩形を描く眉の、役者のような風貌の紳士だ。ラウラたちより二回りは年上の彼が、「さよなら、みかじめ料協会」に参加したのは、島の地方自治体のあり方を変えたいと考えたからだという。パレルモ大学医学部を中退し、林業やオリーブ農家をやりながら、トスカーナ州の小さな町で五年、町長を任された。

「景観を守るということにかけてトスカーナ州はイタリア随一だ。北部の人間にも決して真似できないレベルで磨き上げる。ミラノ郊外には人工的な住宅地が拡がっているが、トスカーナのようにコンクリート工場が肩身の狭い思いをしている州は珍しい。その点ではシチリアは真逆だ。コンクリートだらけだからね」

このトスカーナ流の地方自治のセンスを活かすことができれば、故郷の島はもっと魅力的になるはずだと考えた。やがて、老いた両親の住む島に戻った彼は、EUの助成金を活用する方法を自治体の職員たちに指南するコンサルタント業を始め、ブリュッセルのEU本部への研修ツアーを企画した。

新聞でラウラたちの活動を知ったのは、そんな時だ。折しもマフィアから押収された別荘を改装して民宿を始めようとした彼は、様々な問題に直面していた。長年、放置されていた物件はひどく傷み、旅行者を泊められる状態ではなかった。壁を塗り替え、鎧戸を直し、水まわりを新調し、冷蔵庫や家具を買い揃えなければならず、そこにもうひとつの問題が浮上する。ボスの物件とわかったとたん、配管工や大工と連絡が取れなくなった。

「痛感したのは、商店主や企業家だけでなく、僕らの暮らしに必要不可欠な医師、弁護士、配管工、家具職人、庭師、葬儀屋といった専門職の人たちの世界にも、マフィアと無縁な人たちのネットワークを作る必要があるということだ」

それが「リーベロ・フトゥーロ」を立ち上げたもうひとつの動機だった。その後、仲間とともに三百人近い人たちの相談にのるうち、活動がパレルモに集中し過ぎていることに気づいた。

「当初は大都市ほど問題を抱えているように見えた。けれど相談を受けるうちに、島の南部や西部の方が、企業家たちは孤立状態に追いやられていたんだ」

こうして、他の地域にもネットワークを作り始めた。

二〇〇七年の秋、パレルモのビオンド劇場で開かれた「リーベロ・フトゥーロ」創立式での感動的な光景が、今もエンリコの目に焼きついているという。

当時、パレルモ産業連盟の会長は、ハーバード大学で法律を学び、シチリア銀行の重役を務めた後、ベビーフードの会社を立ち上げたイヴァン・ロ・ベッロだった。彼は、その会場で、かつてパレルモ産業連盟がリーベロを孤立に追いやったことを、ピーナやその子供たちに正式に謝罪した。四十四歳の会長は、小学校でキンニーチ治安判事の講演を聞いて感化された世代だった。四十人の企業家が参列したその場で、彼は公言した。

「シチリアの産業界には、かつて暗黒の時代がありました。しかし、今日、みかじめ料を断らない言い訳などありません」

会場は満席で、上段のボックス席まで若者たちで埋め尽くされた。それは、ピーナに、リーベロの生前に開かれた閑散としたイベント会場での苦々しい思い出を蘇らせた。

彼女もまた、この日のことを後にこう語っている。

「もし、私の隣にリーベロが座っていたらって、そう思うと嬉しくて叫びたいくらいだった。彼のやりたかったことが実現したんですもの」

二〇〇九年には、エンリコの発案で、シチリア産業連合とイタリア建築協会、「さよなら、みかじめ料協会」とＦＡＩが協定を結び、資金面だけでなく工事の下請けまでマフィアが一切、関与していないというトレーサビリティ（追跡可能性）を確立していくという声明を発表した。ＦＡＩとは、リーベロに賛同したターノが九〇年に立ち上げた反恐喝団体である。

この活動がきっかけとなり、二年後、マフィアが関与していないことを証明する反マフィア団体による資料と銀行の推薦を受ければ、州知事が九十日以内に入札への参加を承諾できるという法規制が進んだ。いわゆるホワイトリストの作成だ。

「入札制度の不正でパレルモは、長い間、苦しめられてきた。その年、二十五の建設会社が参加して、あちこちの工事現場に『ここに自由な未来を建設中！』と書いた看板を立てた。それは壮観だったよ」

このシチリアの変化を、長年、反恐喝運動を続けてきたターノはコペルニクス的転回と呼んだ。

だが、残念ながら、この話はハッピーエンドに終わらなかった。

みかじめ料フリーの旅行社

二〇一六年の夏、待ち合わせに指定されたのは、パレルモ裁判所前の記念広場だ。ナツメヤシ並木が見下ろす記念広場の中央には、白大理石の階段の側面に、真鍮《しんちゅう》の文字で大きく人名が記されていた。ファルコーネ、モルヴィッロ、ボルセリーノ、数えてみると十一人の名が刻まれていた。

待つ間に慌てて聞きなれない名を検索すると、汚職政治家に捜査のメスを入れようとした検事総長や報復を恐れて誰も関わろうとしなかった逮捕状に唯一、サインしたことで殺された裁判官の話が次々に出てきた。日本人にはほとんど知られていない殉職者が、裁判所の関係者だけでそれほどいた。そこでシチリア島でのマフィアの犠牲者を検索すると、五一九人という数字が出てきた。マフィア同士の抗争による死者を加えれば、その十倍近いという。殺人が横行したのは三十年前までの話とはいえ、被害者のあまりの多さに怯《ひる》んだ。

広場は不思議な静けさに包まれていた。そこに現れたのは、ひょろりと背の高い、人なつこそうな栗色の瞳の青年だった。ジーンズにナップサック、黒いTシャツ姿、イタリアの若者の典型といった身なりだが、よくみれば、シャツには「払わない人に払う」

と書いてある。

「さよなら、みかじめ料旅行社」[37]ガイド、エドアルドだった。

旅行社を立ち上げたのは、「さよなら、みかじめ料協会」のメンバーたちだ。その数日前、海辺の町の古い駅舎を改装した事務所で話を聞いた代表のダリオは、カパーチの暗殺事件について話をしてくれた、まさにその人だった。

「大学時代、一緒に活動した友人たちの半分くらいが、卒業すると海外や北部に就職先を見つけて島を出ていった。島に仕事がないから、若者たちが残れない。僕は島を離れたくないし、就職のためにマフィアの息がかかった企業で妥協することもできない。かといって、しっくり来る仕事も見つからなかった。ならば、自分たちで仕事を創ればいいじゃないかと考えた。運動に賛同してくれた商店や宿の主人たちを応援していきたい気持ちもあったし、もっと知りたいという世間の関心も高まっていた。そんな時、修学旅行や社会科見学のプログラムとして、子供たちと学びたいと声をかけてくれたのが、学校の教員たちだった。ボランティアで始めるうちに、だんだん反マフィア活動をしっかりした経済に育てたいという思いが募った。島に新しい仕事を創ること、みかじめ料から自由な経済を育てること。その二つを観光という分野で一つにすれば、互いに育っていけるのではないか。シチリアが生きていくには観光しかないと言われて久しかったし、僕も、そこに可能性を感じていたんだ」

こうしてダリオは、パレルモ大学でコミュニケーション学を修め、修士課程で経済学を専攻すると、観光学の名門ヴェネチアのCISET《チゼット》へ夏期留学した。

「大学はどこも理論が中心になりがちだけれど、チゼットは実践あるのみ。あそこでは企業家やシェフ、あらゆる分野の専門家たちが参加するワークショップを通じて、今、やっているような観光のシミュレーションができた」

彼が声をかけた幼馴染のフランチェスカは、すでに高校生や生協の組合員を対象とした反マフィア・ツアーを実践していた。もう一人のエドアルドは、文学部時代から「パルマ・ナーナ」というエコ・ツーリズムの草分け的旅行社で自転車ツアーのガイドをしていた。三人合わせれば、英語、独語、仏語にも対応できた。

三人は二〇〇九年の秋、「さよなら、みかじめ料旅行社」を設立。ツアーの飲食店や宿もすべてみかじめ料フリーという旅行社は、世界初の試みだった。

嬉しいことに、活動に感銘を受けたドイツ大使が、みかじめ料フリー店のリストを掲載したパレルモの地図をドイツ語に翻訳して国内で配布し、ベルリンの観光フェアに招待してくれた。ドイツには、「シチリアなしのイタリアでは、ぼくらの心の中にいかなるイメージもつくりえない」[38]と書いた文豪ゲーテを筆頭に、シチリア好きの文化人が多く、バルト海沿岸しか海がないこともあり、南の海を求めて多くのドイツ人がこの島を目指す。二〇一八年の政府の調査でも、年間三十八万人のフランスに次いで三十一万人が訪れている。

ドイツ語の地図が、先に世に出たと知ると、英国大使館も負けじと英語版を作った。シチリアを観光するイギリス人は四位の十七万人で、三位は近年、急上昇しているアメリカ人の十八万人だった。地図をカフェで広げていると、よく旅行者に、その地図、どこで手に入れたのと声をかけられたが、今では、協会（Addiopizzo）のサイトから、英語、伊語、仏語のパレルモのみかじめ料フリー地図に、誰でもアクセスできるようになった。

さて、旅行社は、後の章で詳しく説明するが、社会的協同組合として登録されている。そこでは何人くらいが働いているのだろう。

「組合員は六人。有給で常駐しているのは二人で、エドアルドは、今もエコツアーの草分け『パルマ・ナーナ』社の専属ガイドだからフリーランス契約だ。それにパートが三人。各地で契約しているガイドが約十人」

どのくらいの売り上げがあるのかも訊いてみた。

「二〇一二年には、年間売上げが十五万ユーロ（約一六〇〇万円）だったけど、年々成長して、二〇一八年には七十万ユーロ（約九一〇〇万円）と今のところ順調だ」

主な顧客は、どんな人だろう。

「教育目的の団体客を対象にしてきたから、ロンバルディア州やピエモンテ州を中心に北部の高校が約七割。これからは一般の団体も増やしていこうと相談しているんだ」

修学旅行が少ない季節には、少し割高だが少人数の個人客も受け入れていた。

運営を軌道に乗せることができた最大の要因はなんだろう。

「人権を問う旅を評価するドイツの団体から、TODO賞[39]という旅の人権賞を受けたことは大きかった。イタリア初だからね。世界に名が知られたことで国内での信頼度も高くなり、ドイツやイギリスの大学の犯罪学部の生徒たちも研修にくるようになったんだ」

二〇一六年には、「アショカ[40]」という社会的起業家の世界的なネットワークを持つ財団で、ダリオが旅行社を代表して社会に変革をもたらすフェローに選ばれた。

パレルモ、エシカルの旅

さて、エドアルドの反マフィアの旅に話を戻そう。

「払わない人に払う」と書いたTシャツ姿の彼が街を歩けば、すれ違う人の中には、その筋の人や払わされている店主もいないとは限らない、そういう意味では勇気のいるパフォーマンスだ。ある人はすれ違いざまに、「そうだね」とつぶやくが、胡散臭そうにじろっと見る人もいる。しかし、彼は、むしろ挑発を楽しんでいるようだ。

初日にお願いしたのは、パレルモでの半日・反マフィア散歩だった。

カーポ市場のにぎわいと入り組んだ路地を抜けると、マクエダ通りに出た。そこでマッシモ劇場を目指してこれを引き返していると、彼が一軒の土産物屋の前でぴたりと足を停めた。店頭にかかった黒いTシャツはマーロン・ブランドが演じたドン・コルレオーネが描かれたおなじみの映画『ゴッドファーザー』の便乗商品だった。肖像画の下には、シチリアを支配するのは俺だ、などと書かれていた。エドアルドがため息をつく。

「ああ、うんざり、こういう土産物も問題だなあ」

また少し歩くと、今度は、別の土産物屋に、赤、白、緑と三色のエプロンに、見ざる、聞かざる、知らざる、の仕草をするグロテスクな男たちが描かれていた。肩にかけた銃と伝統のコッポラ帽は、マフィアを連想させる記号になって久しかった。日光の猿のような仏教の教えではなく、マフィア独特の、犯罪を目撃しても知らないふりをする沈黙の掟のことだった。あろうことか、その上には「シチリアの哲学」と書かれていた。

さすがにエドアルドの顔がゆがむ。

「さっきのはまだしも、これはひどい。こういうのは、一度、シチリアのイメージを著しく貶《おとし》めていると訴えてみる価値があるかもしれない。物議を醸して、観光客や若者に意識を変えてもらうには悪くない手かもな」と顎鬚を撫でる表情は半ば本気だ。

間もなくマッシモ劇場（写真）の前に出た。大階段には、コリント式の柱とブロンズのライオンが構え、黄色い凝灰岩の明るい色調と柔らかな曲線が、その威圧感をいくらか和らげていた。

このオペラ座が世界に知られるようになったのも、映画『ゴッドファーザー　PART Ⅲ』のロケ地になってからといっても過言ではない。観劇を終えて大階段を下りるアル・パチーノ扮するボスを狙った銃弾に、その娘が倒れる。そのシーンに『カバレリア・ルスティカーナ』の間奏曲が効果的に流れる。そんなわけでこの日も、劇場前ではアメリカ人団体客が楽しそうに記念写真を撮り合っていた。

エドアルドが、マッシモ劇場の解説をする。

「ミラノのスカラ座より大きくて、高さは五十五メートルだ。今は防災上の理由で入場が制限されるけど、三千人収容できる。一八七四年から一八九七年まで長い年月を要したシチリアの建築家ジョヴァンニ・バッティスタ・バジーレの代表作で、彼が倒れた後は息子のエルネストが引き継いだ」

オペラ座は、十九世紀末のパレルモの経済発展と文化を象徴するものだった。しかし、同時にシチリアで激しい労働運動ファッシが盛り上がった時期に建設中だったこの劇場は、多くの労働者たちの血と汗の結晶でもあった。
「ところが、一九七四年から修復のために閉館され、市民に開放されたのは一九九七年だ。ほぼ二十年間、古都の文化の象徴は長い眠りについていた。反マフィア派のオルランドが市長になると、急ピッチで修復を進め、お披露目の日には街中が開放感に包まれた。マッシモ劇場の復活は、文化の都パ

レルモの新しい時代の始まりだった」

マフィアの暴力に翻弄されたことで休眠状態に陥っていた街の文化の象徴だから、彼のツアーでは必ずここに寄るのだという。

これを聞きながら私は、かつてマッシモ劇場の修復家から聞いた話を思い出していた。市の支払いが遅れても、自費をつぎ込んで修復を進めたその人は、長い間、使われていなかった劇場を目にして愕然とした。映画の撮影のために、触れてはならないはずの文化財のボックス席に金のペンキが塗りたくられ、元に戻すのが一苦労だったという。ただ、今も多くの観光客を島に運んでくる映画の吸引力を思えば、その暴挙もそろそろ時効かもしれない。

初夏の日差しを逃れて木陰のベンチに腰かけると、彼が話を続けた。

「かつて劇場のカフェはマフィアのたまり場だった。ブシェッタは知っているだろう、沈黙の掟を破ったマフィアの大物だよ。パレルモの元市長サルヴォ・リーマとは五〇年代からの仲で、マフィアのオペラ好きをよく知るリーマが、毎年、彼にマッシモ劇場の年間定期券を贈ってくれたと証言した。リーマの父親は役人でポルタ・ヌオーヴァ地区の構成員だった。彼がキリスト教民主党で昇進したのも地区のボスのおかげと言われている。それが、マッシモ劇場が立つこの地区なんだ」

そのリーマ市長も大裁判を止めることができないとわかると、射殺された。

エドアルドに、加盟店にファッションの店はないかと訊くと、すぐそばの「ラ・コッポラ・ストルタ」（「タント・ディ・コッポラ！」に改名）という帽子屋に案内された。

「この店は、僕らの運動とともに育ったと言っても過言ではない。画期的なのは、マフィアの象徴のようになっていたコッポラ帽という島の伝統文化を、若い女性も楽しめるオシャレなアイテムに蘇らせたことだ」

しかも島の職人の手づくりだ。現在では、世界を席巻するイタリアの高級ブランドさえ、その多くが中国やパキスタンなど人件費の安い外地で製造される。そんなグローバル経済の中で、地域のモノづくりと経済を支える試みが評価され、ニューヨークのMoMA（ニューヨーク近代美術館）でも売られているという。

次にやってきたのは、パレルモ大聖堂だった。波打つ輪郭や星や花の文様が刻まれた外壁がモスクだった過去を匂わせるエキゾチックな大聖堂である。

文化財の宝庫シチリアでは、近年もパレルモとその近郊にあるアラブ・ノルマン様式の建築群が、世界遺産に認定された。モンレアーレ大聖堂やマルトラーナ寺院の細密なモザイク壁画やパラティーナ礼拝堂の鍾乳石のような天井の意匠は、ノルマン時代に活躍したアラブの職人たちの恩恵だ。そうしたいくら眺めても飽きない建築に比べると、パレルモ大聖堂の内側は色彩に乏しい。なぜ、ここなのかと戸惑っていると、彼が入口の正面の祭壇を指さす。

「ピノ・プリージ神父の墓だ。彼はブランカッチョという貧しい地区で生まれて、その地域で暮らす子供たちの教育に尽くした。かつて貧しい地区の路地にたむろする少年たちにとって、高いスーツに金時計で闊歩するマフィアは富と憧れの対象だった。惨めな暮らしから救ってくれる人だと考えたんだ。でも、実際には殺人を命じられて刑務所に入ったり、あっけなく死んでいった若者たちがどれほどいたことか。そこで神父は放課後教室を作り、貧しい家庭の世話をし、犯罪から遠ざけようとした。すると、盗みや運び屋として子供たちを使えなくなったと地区のボスの恨みを買った。一説には神父が、何か都合の悪い情報を握っていたのではないかともいわれている」

九三年の秋、神父は自宅の前で撃たれた。神父殺しは、「名誉ある男」ならばタブー中のタブーだ。そこでメディアは大騒ぎし、歴代の聖人たちを認定する機関、ヴァチカンの列聖省は、この無名だった神父を猛スピードで福者（聖人の前段階）に定めた。

だが、エドアルドが最も伝えたいのは、反マフィアの歴史における大聖堂の意味だという。

「ここは、マフィアの被害者たちの国葬が行われた場所だ。ファルコーネと五人の警官の国葬。ボルセリーノの遺族は国葬を拒んだけど、護衛の警官たちの国葬がここで行われた。その一人ヴィートの奥さんは、私は殺人者たちを許す、もし、あなた方が変わってくれるのならば私は許す、と泣きながら繰り返した。広場まで大勢の人で溢れ、彼らを見殺しにした政府と役人たちへの怒りをぶつけた。ほとんど暴動が起きるかという状態になった。そんな象徴的な場所なんだ」

二十二歳だったヴィートの妻、ロザリアには六か月の息子が残された。その後、絶望の淵から彼女を救ったのは誰かと言えば、毎日、お参りする墓地で隣り合わせた、マフィアの二人の息子を失った母親だったという。

盗まれたカラヴァッジョ

それからも何度か、エドアルドに反マフィア・ツアーを頼んだ。

有名なファルコーネやボルセリーノの記念樹にもお参りした。修学旅行生だろうか、枝には平和の象徴である虹色のハンカチがたくさん結ばれ、幹には遺族が残したマフィアに殺された親族の写真が貼られていた。

そんなある日、カルサ地区を案内してくれたエドアルドが、マフィアが、島の文化と経済にいかにダメージを与えたかを物語る場所を見せたいという。

それは、老舗「アンティーカ・フォカッチェリア・サン・フランチェスコ」のすぐ近くにある小さな教会、サン・ロレンツォ礼拝堂だった。中に入ると、正面の祭壇には、バロックの鬼才、カラヴァッジョの作品が飾られていた。それも大作である。

「でも、これはコピーで、本物は六九年の真夜中、何者かに盗まれてしまったんだ」

『キリストの降誕』という作品で、中央に聖母に見守られた幼児キリストが横たわっていた。その右手に描かれた聖フランチェスコは、礼拝堂を所有する修道会の創始で、聖ロレンツォはキリスト教に改宗したことで処刑された古代ローマの兵士だが、その矢の跡がペストのできものを連想させるということで疫病から守る聖人となった。この絵はローマで描かれ、シチリアでペストが流行した十七世紀に購入されたのだという。

「マフィアによる窃盗だと言われているんだ。ある裁判で、窃盗の動機は重罪犯を外部と交渉できないように独房で服役させる刑法の緩和を要求するための取引材料だった、という証言が出たこともある。かと思えば、パレルモのあるボスの別荘の家畜小屋に隠されていたのを見たという証言もある。海外の富豪に売られたという説もあるけど、今も絵の行方はわからず仕舞いだ」

筆者が八〇年代に一人でシチリアを旅したのは、カラヴァッジョの原画見たさからだった。気性の激しいこの画家は、ローマで喧嘩相手を殺して南へと逃げた。だから、『聖ルチアの埋葬』や『ラザロの復活』といった名作にシチリアで会える。

もし、この小さな礼拝堂に原画が残っていれば、どれほどの美術愛好家が訪れたことだろう。コロナ禍にあって疫病から守ってくれる聖人まで描かれていたのだ。マフィアが経済を支えるなど冗談も休み休み言え、とこの時ばかりは心底、腹が立った。

多文化共生食堂

「さよなら、みかじめ料協会」には、ワインバー、チョコレート屋、魚のおいしい店、オーガニックの店、本屋を改装したビストロと、魅力的な店がたくさん加盟していた。宿の主人たちもみんな個性的だ。食べ歩きも、主人たちとの交流も楽しく、マフィアのことなどすっかり忘れそうだったが、このままでは懐が淋しくなるばかりなので旅じまいを考え、ある日、エドアルドに、もし、パレルモで一軒だけ選ぶとすれば、どの店かと訊ねた。すると、どこも好きだが、今、最もトレンディーな店と教えてくれたのが、「モルティヴォルティ」（写真）だった。たくさんの顔という不思議な名の食堂だ。

店のあるバラッロ地区は、市場も近い庶民的な地域で、インドやバングラデシュ、パキスタン、セネガルなどの移民たちが大勢住んでいる。食堂の向かいは、カトリック系福祉団体の中でも貧しい地域の援助に力を注ぐ「マザーテレサの家」だった。

店は昼時には若者たちで一杯になった。外国人の学生もいる。当時、ランチは一律五ユーロ、この日のメニューは二種のパスタと魚介のクスクスだけだった。グラスの白ワインとともに注文したトマトスープ仕立ての魚介のクスクスは、エビにムール貝、骨までとってある白身魚がどっさり、旨味もたっぷりで最高だった。すっかり幸せな気分になって店を見渡すと、壁にはボブ・マーリーやジョン・レノンの写実的な肖像に並び、店の従業員と思われる人たちの顔が描きこまれていた。

客の姿がまばらになるまで、ちびちびとワインを飲んでいると、ついに厨房から、赤いバンダナを巻いた小柄で男前のシェフが出てきた。魚介のクスクスへの賛辞を伝えねばと声をかけると、シェフが教えてくれた。

「この店は、パレルモのいろいろなNPOの共同運営なんだ。学生や移民が多い地域で、安くておいしいものを出す店を作ろう、できれば、夜にはバーとして楽しい溜まり場にしようという目的でね。そういう僕もアフガニスタンの難民だったんだ」

かつてタリバンと戦う政府軍の兵士だったという彼は、いよいよその身に危険が迫った時、カブールを逃れ、トルコ経由で三千ドルを払って難民船でイタリアへやってきた。以後、ずっと料理人として生きてきたのだという。

そんな話を聞いていたところに、赤ん坊を抱いたアフリカ系の若い女性が入ってくると、シェフに声をかけた。常連なのか、赤ん坊も大人しくシェフに抱っこされている。ますますもって楽しい店だった。

「このスペースは普通のお客用で、奥はシェア・オフィスでね、そっちでは難民の若者たちに無料で食事を提供しているんだ」

そう言うと彼は、イタリア人青年に声をかけて奥の食堂を見せてくれた。テーブルを囲んでいたのは、ガンビア、ナイジェリア、セネガルの若者たちだった。

店は、二〇一四年、多民族が共存する社会を築こうという理想の下に生まれた。そこで運営にもシェフを始め、フランス人、モロッコ人、タンザニア人、セネガル人といった様々な国の人が関わり、ボローニャの倫理銀行がこれを支えていた。それは武器や核開発など環境に負荷をかける事業やカジノには融資せず、有機農業、フェアトレード、教育といった社会貢献に特化した銀行だった。こんな銀行が、日本にも作れないものだろうか。

反マフィアの取材から、こんな下町のユートピアにたどり着こうとは思ってもいなかった。みんなの話を聞いていると、恥ずかしそうな笑みを浮かべたアフリカの青年が、たどたどしいイタリア語で、自分のパーカーにはいったい何が書いてあるのかと訊く。みれば、そこには漢字と旧仮名混じりの日本語でこう書かれていた。

世間を　何に譬へむ　漕ぎ去にし船　朝開き　跡なきごとし

検索すると、それは万葉集の歌だった。中国製なのか、正確には、「世間《よのなか》を　何に譬《たと》へむ　朝開き　漕《こ》ぎ去《い》にし船の　跡なきがごと」、と少し順番が違う。この世を何にたとえよう。早朝に漕ぎ出していった船の跡がまるで消えてしまうよう。小船の描く航跡が、朝霧の中にすっと消えていくさまにこの世をたとえた、どこかはかない歌だった。それを生きるか死ぬかの難民船でシチリアに流れ着いた青年が、意味も知らずに身につけているのは、何だか出来過ぎだった。

グローバル化というものも、たまには粋な演出をしてくれるものだ。

また寄ってみようと思いながら、出口まで見送ってくれたシチリア人の青年と、アフガニスタン人のシェフ、セネガルの青年、三人が肩を組む姿をカメラに収めた。

マフィアの暴力と政変は、多くのシチリア移民を生んだ。そして慣れない地で暮らすことの辛さをよく知る島の人たちは、同じ境遇にある人たちに温かだった。

これもまた、現在のパレルモの肖像だ。

第五章　恐怖のマフィア博物館

珠玉のパン祭り

シチリアは、パンの祭りが各地に残っていることで知られるが、中でも異彩を放つのは、トラーパニ市のサレーミの祭りである。

ユネスコの無形文化遺産に向けての国内リストに選ばれたのは、三月十九日の聖ジュゼッペ祭りだ。ジュゼッペという名は、キリストの父ヨセフに由来する。聖母マリアの夫だが、マリアは聖霊によって身ごもったとされていることから、カトリック教会の教理では少し微妙な立場で、あくまでも養父である。そこで聖像も、マリアの純潔性を侵さないように大抵は老人の姿だ。幼児キリストの手をひき、胸に抱くその姿は、まるで孫をあやすおじいちゃんのようだ。それでもシチリアでは、この聖人は絶大な人気で、

『ペッピーノの百歩』のジュゼッペしかり、この名のシチリア人はとても多く、その祭りは約三九〇の町村に残っていた。

二〇一六年の祭りの朝、人口一万人ほどの小さな町のあちらこちらに、パンで飾られた祭壇が出現した。最も見応えがあるのは、聖ジュゼッペ信心会の手になる祭壇だった。

前日入りした私は、栄えある一番のりで、教会の入口では長老たちが待ち受けていた。教会の中に、鐘楼まであるパン飾りの聖堂が出現していた。金属の骨格に月桂樹の枝が巻きつけられ、その緑に、レモンやオレンジとともにびっしりと様々なパン飾りが、不思議な果実のように下がっていた。

まるでお菓子の家だ。食べ物がたくさん飾られた祭壇を眺めているだけで、無性に歓びが込み上げた。太古の昔、飢えと闘った細胞の記憶だろうか。飽食の現代にしてそうなのだから、食糧難の時代には頭がくらくらするほど夢の空間だったことだろう。

近づくと、パン飾りの手仕事が実に細かい。いったい、どれくらいの時間をかけたのかと訊いてみると、一人の老人が、「パヌッツィ作りだけで一週間だよ。祭壇は一月くらい前から準備するね」と答える。パヌッツィとは飾りパンのことだった。

中央の白い祭壇には、聖体入れの杯を模したパン、天使の姿をしたパン、その下には直径三十センチくらいの三つの大きな飾りパンが並んで置かれていた（写真）。

真ん中に太陽のような輪、その両側には縦長の輪と太らせた杖のようなかたちのパン。表面はどれも、バラ、ユリ、いちじく、葡萄といった小さな飾りパンでぎっしり覆われていた。縦長の輪にはMのモノグラムがあるから聖母マリアで、デフォルメした杖の方にはSGとあるから聖ジュゼッペだ。大きな楕円と太い杖、それが対になったパンの形状は、どう見てもキリスト教の祭壇というより、太古の女神と男神のシンボルだった。

中央の円の前で首を傾げていると、後ろから長老の一人が声をかけてくれた。

「太陽をかたどったものでイエス・キリストを表現している。神はこの世の光だからね」

長老は消え入りそうな声で、細かいパン飾りのシンボルについて説き始めた。

「バラやユリは聖母の純潔。ヤシはキリストの復活。魚はキリストだ。カタコンベでも見たことがあるだろう。キリスト教が禁止されていた頃からの図像だ。イエス・キリスト、神の子、救い主というギリシャ語の頭文字をつなげると魚という言葉になる」

動物にもすべて意味があった。

「孔雀は不死性、鳩は平和、馬は知性、犬は信仰。そして雄鶏は、聖ピエトロが三度、キリストの弟子であることを否定した逸話に出てくるから、闇を払う力だ。蝶は魂の飛翔……」

象徴の迷宮である。至るところにみえる葡萄の房や小麦の穂は、聖体のシンボルだという。

「葡萄からワインが作られ、麦の穂からはパンができる。麦の穂は、年に一度、大地に蒔かれて死に、そこから芽が出て復活する」

キリストの復活になぞらえていた。さすがは、大昔から葡萄や小麦を作ってきた地域だ。考えてみれば農作物の実りは、農民たちが毎年見届ける奇跡のようなものだ。豊作の年は感謝し、凶作の年にはひたすら祈ったのだろう。長老の解説は続いていたが、そこで別の長老に「裏で女たちが食事を用意しているから、あんたも食べなさい」と祭壇の裏に案内された。

長テーブルに、びっしりとごちそうが並んでいた。

魚の姿をしたマグロのパテ、フェンネルやいんげん豆の卵焼き、ポテトコロッケ、きのこやイワシのフライ、タコのサラダ、ナスのソテー、魚と菜食の料理ばかりだった。

挨拶も早々に手渡されたのは、オリーブ油で炒めたセモリナ粉をシナモン、砂糖で甘くし、これとパセリをふりかけのようにまぶしたパスタで、これを何百人分も用意するらしい。

そんな貴重な祭りが存続の危機にあった。「祭りを支えてきた人たちが年をとってきているから、若い人たちに技を受け継いでもらおうと思ってね」と、サレーミの観光協会の会長ベッペは、祭りの前夜、お年寄りを招き、若者たちに飾りパン作りを指導していた。バラや葡萄の房を小麦粉で練り、ピンセットや筋を入れる道具で葉脈まで丁寧に再現し、卵黄とレモン汁を塗って光沢を出していた。ちなみに彼もジュゼッペだった。

パンに聖霊が宿るという発想は、古い農耕社会の信仰から受け継いだもので、おそらく、春の訪れとともに豊穣を願う大地の母への感謝祭が、キリスト教の祭りに取って代わられたのだという。六〇年代の震災で崩落したこの町の大聖堂には、天井もファサードも残っていない。しかし、夜、古城とともにライトアップされるその廃墟は、まるで舞台装置のようで美しい。大聖堂は、その昔、アスタルトに捧げた神殿だったという。

それは、古代の地中海全域で信仰を集めた豊穣と多産の女神だった。

そして、もう一つ、聖ジュゼッペが島で愛され続ける理由は、この聖人が養父で、その祭りの日は、孤児や貧しい人、病人といった弱者と連帯する日だからだという。ベッペによれば、この町でも戦後すぐまでは祭りの日に町の最も貧しい子供たちが三人選ばれ、聖家族になぞらえてご馳走する儀式が残っていたそうだ。万人に振舞われる食事はその名残りで、何日もかけて作ったパン飾りは、祭りの後、縁起物として町の人たちに配られるという。

一ユーロの家と前衛的なマフィア博物館

二〇〇八年、パン祭りの町、サレーミの町長となったのは、ヴィットリオ・ズガルビだ。イタリアでは名の通った美術評論家で、テレビの美術番組も手がけていた。

日本でもマスコミを賑わしたのは九〇年代、ベネトンの社長のヌードの雑誌広告だった。この時、彼もまた、これにあやかり、帽子で股間を隠した姿で、雑誌の表紙を飾った。そんな風だから、たくさんの恋人がいることでも知られていた。

だが、北部出身の彼が、この小さな町の町長選に出馬したのは、芸術の島を愛してやまないからだった。二度目にマスコミに注目されたのは、この町の民家をたった一ユーロ（一二八円）で販売すると発表した時だ。七章で触れる一九六八年の地震でこの町では約四分の一の家屋が全壊した。空き家になっていた民家群に移住者を募ろうという町おこしの作戦だった。一ユーロの家ということで話題になったが、実際には、修復に数百万から一千万円ほどかかり、さらに定住することが条件だ。

ベッペによれば、その効果が最近になって出始めているそうだ。その筆頭は、サレーミの一年後に同じプロジェクトを始めたガンジ村で、今や百軒近い空き家が修復を終え、移住者も増えていた。地震の被害が大きかったサンブーカ村でも効果が見え始め、サレーミの自治体は、二〇二一年、最大一万ユーロの助成金を出し、三十六軒の空き家を一ユーロで販売中だった。その斬新なアイデアを最初に思いついたのが、ズガルビだった。

そして、この美術評論家が、町に残したもうひとつの遺産が、二〇一〇年に開館した「マフィア博物館」[41]だった。

シチリアを代表する作家のレオナルド・シャーシャに捧げたものだという。ズガルビが四年で引退したことから、展示にはやや老朽化が目につくが、この小さな博物館を目指して、今も世界から旅行者がやってくる。

但し、この施設は、彼の前衛魂を知らなければ、一見、誤解を招きかねない。入り口のロゴからして、真っ赤なシチリアから血が滴っている。ここでまで、マフィアの島という偏見を刷り込む気かと怯みそうになるが、アート・ディレクションを手がけたのはオリヴィエーロ・トスカーニ、ベネトンの広告写真で知られる写真家だ。

カーテンを潜り、真っ暗な部屋へ入ると、そこには番号だけが緑に光る十個の小部屋が並んでいる。恐る恐る近づいて扉を開くと、それぞれがマフィアを知るためのインスタレーションになっている。マフィアと水行政、マフィアと宗教、マフィアとみかじめ料といった具合で、正面のスクリーンに、各々のテーマについて英語とイタリア語で解説する短いビデオが流れる。興味深い内容だが、あまりに早口でよく聞き取れない。

どれも、ぞっとさせるようなつくりで、たとえば、正面に大きな鏡があり、覗くと刑務所に入った自分の姿が見える小部屋は、内なる悪と向き合う部屋だそうだ。

その先には、山の急斜面に造られた別荘地帯やスラム化した公共住宅などのモノクロの巨大パネル写真が並んでいた。パレルモ占領と呼ばれた建築ブームの時代、マフィアが関与した違法建築の醜悪さを見せつけられる間だ。

シチリアの芸術家チェーザレ・インツェリッロの作品は、セメントの壁に塗り込まれたミイラ像だ。マフィアの抗争が激しかった頃は、セメント漬けにされた被害者も少なからずいたらしい。暗い部屋のスポットライトの下には、首と両腕両足を背に反り、ロープで縛られた人形が展示されていた。マフィアが裏切り者を苦しめて殺害する手法で、暴れるほど首がしまり、ゆっくりと窒息する、かつて家畜を縛った方法の応用だという。

こうなると博物館というより、文化的お化け屋敷だった。実際、外国の子供たちはキャーキャー叫びながら、めぐっていた。

ズガルビが、この前衛的な博物館をサレーミに造ったのは、この町が、アンドレオッティ首相とマフィアをつないだ人物とされるサルヴァ兄弟の出身地だからだ。イタリアには、かつて税金の取り立てを請け負う専門業が存在した。叔父の会社を継いだ兄弟は、一時はシチリアの約四十%の税金徴収を請け負っていた。そして徴収額の十%を委託料として合法的に受け取っていたが、それは他州のほぼ三倍だった。しかし、抗争でコルレオーネ派と敵対、まず叔父が殺され、次に兄弟が八四年に逮捕された後、兄は病死し、弟は出所後に殺害された。

博物館が、ヴェネチアのビエンナーレで再現された時、ズガルビが語っている。

「私たちはマフィアの死をイメージしたいと考え、博物館を創るという発想に至った。

そして、あたかもホロコーストを連想させる空間を作り出したのは……マフィアから距離を置く、悪から距離を置くことを伝えるためだ。それが、シャーシャが考えていたことだと思う」

恐怖と嫌悪感でいたたまれなくなる空間を創り上げることで悪につけこまれる弱さを諫める、ショック療法的な効果を狙ったらしい。あの血まみれのロゴも、悪に支配される島ではなく、マフィアの死をイメージしたのだった。

時折、銃弾の効果音が響く、国家統一からアンドレオッティ裁判までの新聞記事が展示された空間は、資料として貴重なものばかりだった。効果音こそ耳ざわりだが、マフィア史がよくわかるので出直したほどだ。

館には「マフィアの風」と題された風力発電を告発する間もあった。再生エネルギーについての考え方はさまざまだが、ズガルビは、それはマフィアがEUの補助金を吸い上げる大掛かりなビジネスで、風力発電も太陽光パネルも醜悪でシチリアの優美な農村風景を台無しにすると、一貫してこれに反対した。任期中は、島全体の景観を守ろうと、発電用の大型風車の設置を禁ずる地域をきめ細かに指定する法規制を進めた。しかし、それが提案先の州議会で可決されたのは二〇一七年のことで、その間も彼が偽エコロジーと嫌悪する大型風車や太陽光パネルは増え続け、島のエネルギーの十%を占めるまでになり、サレーミ近郊にはいまも五百基近い大型風車が立つ。

それでも、この丘陵地帯で奮闘しているのは、「さよなら、みかじめ料協会」に加盟する二軒の農産加工品の会社だった。

「ミラトス」社は、Uターン組の若い夫婦が営むヤギや鶏もいる循環型農家で、アーティチョークやペペローニのパテや酢漬けを作っていた。「ロ・カストロ」社は有機のピスタチオやアーモンドのクリームを生産、輸出もするカターニアの会社で、祖父の故郷だったサレーミに数年前に工場を移転した。社長のロ・カストロが話してくれた。

「祖父が農家だったこともあって、父の代から会社のモットーは、農家のためになる製品を作ることです。サレーミは今も農業中心で、アーモンドやピスタチオだけではなく、レモン、オレンジ、アンズ、イチゴと質の高い果実も手に入る。大量生産の考え方は、今後、必ず壁にぶつかるでしょう。ですから、これからはますます生産者にとっても質の良い製品を目指し、健康に良いものに切り替えていく予定です」

彼は、サレーミ郊外に約五十ヘクタールのアーモンドの植え付けを始め、マフィアから押収した古い醸造所で、古代小麦の有機パスタも生産していた。

第六章　押収地をオーガニックの畑に

押収地のおいしいもの専門店

「パレルモで質の良い土産を買いたいのならば、お勧めはここです。マフィアからの押収地で作られるおいしいものを扱っているのです」

そう教えてくれたのは、パレルモの宿の若い主人だった。それは、優雅なポリテアーマ劇場近くの「Libera Bottega dei Saperi e dei Sapori della Legalità《リーベラ・ボッテーガ・デイ・サペーリ・エ・デイ・サポーリ・デッラ・レガリタ》」[42]（合法性の知識と味）という何とも長々しい名の店だった。イタリア語の味と知識は音の響きが似ているから一種の言葉遊びなのだろう。国を挙げての教育プロジェクト「合法性の船」のように、ここにも同じ「合法性」という言葉が使われていた。

地味なサッシの扉を開くと、左手の棚にさっそくおいしそうなものが並んでいた。パンテレリーア島のケッパー、ウスティカ島のレンズ豆、天日干しの塩、地蜂の蜂蜜と、どれも普通の土産物屋ではあまり見かけない希少な食材ばかりだった。

その時、高い棚のチェントパッシ、「百歩」と書かれたワインが目に飛び込んできた。あのチニジのマフィアと闘った青年ペッピーノに捧げられたものだ。コルレオーネの労働運動家リッツォットの名のボトルもあった。どうやらこの辺が、押収地で生まれた商品の棚だろう。パスタ、ジャム、オリーブ油、クッキーなどもある。

すっかり見入っていると、レジの若い女性が声をかけてくれた。

「この店の商品の半分くらいは、マフィアからの押収地で活動する各地の社会的協同組合で作られた商品です。ものによってはまだ認証がありませんが、ほとんどオーガニックです。認証を持つものがだいたい四割くらいです」

面白い店ができたものだと興奮した。帰って調べてみると、店を運営する市民団体「リーベラ」[43]（自由）の代表は、カトリックの神父だった。洗練された店とはお世辞にも言えないが、各地の生協や博物館にも売り場を増やしているところをみると、マーケティングにも長けている。やがて、「さよなら、みかじめ料協会」とも提携を始め、みかじめ料フリーのロゴ入りのパスタも置き始めた。手にとってみると、それはサレーミの

「ロ・カストロ」社の商品だ。つながっているのだ。

署名活動から生まれた世界初の法律

二〇一六年の秋、この店が生まれた経緯を訊こうと「リーベラ」に連絡してみたが、代表は忙しくて見つからない、とつれない答えである。何度も断られ続けるので、「すばらしい試みなのに、こうも対応が悪くては残念です」とつい嫌味が出てしまった。すると、数日後の夕方、責任者ナターレ・パガーノに会えることになった。

よほど面倒な女だと思われたのか、若い相手はかなり引き気味だったが、電話での非礼を詫び、ここへきた理由を説明すると、相手の態度がやや軟化した。

「『リーベラ』は、トリノのチョッティ神父が主宰するカトリック系の団体『グルッポ・アベレ』が、九五年に始めた市民団体です。ある時、神父に、マフィアに息子を殺されたお母さんが、ぼやいたそうです。いつだって息子の名前はどこにも出ない、息子だってシチリアのために命をかけたのに、と。一九八五年、ある捜査官を護衛して、マフィアに射殺されたロベルト・アンティオキアという若い警官のことです。彼はシチリア人でさえなかった。その話に心を打たれた神父は、翌年から毎年、命の再生を象徴する春分の日、三月二十一日を、マフィアの犠牲者たちと反マフィア活動の記念日にしようと決めたのです」。「グルッポ・アベレ」は、一九六五年、トリノに発足した小さなカトリック系民間団体で、今も薬物中毒者や未成年犯罪者の社会復帰、母子家庭の貧困問題に取り組んでいる。旧約聖書に登場する、兄に殺された弟アベルの名にちなんでいる。

チョッティ神父が信仰の道を選んだきっかけは、電話の技師になる専門学校に通っていた十七歳の頃のある出会いだったという。

青年は、トリノの大通りで毎日、目にするひとりのホームレスのことが気になっていた。その人はコートを重ね着し、髭を伸ばし、いつもベンチで本を読んでいた。興味を抱いた青年が、勇気を振り絞ってコーヒーを飲みませんかと声をかけても返事がない。紅茶ですか、と言い換えても黙したままだ。耳が聞こえないのだろうかと去り際に振り返ると、ようやく相手は本から顔をあげ、こちらを見た。その目に宿る苦悩が、青年の心をいっそう捉えた。

そんなある日、なかなか距離を縮めきれない青年に、相手が隣に座れと合図した。そして青年は、その人が、職場での事故から人生が狂ってしまった外科医だと知る。その後、毎日、話すようになった青年に、ある時、彼は、バールの前でたむろする若者たちをそっと指さした。彼らの目は薬物とアルコールで虚ろだった。それから相手は言った。自分はもう年だし、病気だし、それに疲れた。君の友情は嬉しいが、彼らのために何かしてくれないか。

一月後、ベンチは空になっていた。この出来事をきっかけに、青年は神父となり、薬物中毒や貧困家庭の若者たちを救う民間団体を立ち上げたという。

取材の途中で二度ほど、ボディーガードに囲まれ、反マフィアのデモで情熱的に演説するチョッティ神父を見かけたが、その逸話で腑に落ちてからは、団体の活動については現場の若者たちに訊けば充分だと思うようになった。

ナターレに、「リーベラ」はどんな活動をしているのかと訊いた。

「大きく分けて二つです。ひとつは、マフィア型犯罪組織対策法の改正です。一年がかりで百万人以上の署名を集めました。マフィアが違法に手にした土地や不動産を国が押収できるようにしたこの法を、地域社会のために活用する目的で、国からさらに、自治体が引き取り、これを非営利団体が借り受けるかたちで運営できるようにしたのです。九六年に可決されたその法案は、市民活動が法律を改正した画期的な例です。

この署名活動を通じて『リーベラ』は、いろいろな団体と連携を深めた。反ファシズムから育った団体アルチ、環境団体レーガ・アンビエンテ、各地の生協、カトリック団体、反マフィアや福祉に取り組む社会的協同組合などです。そこでいろいろなことに気づかされたことで、次の目的が生まれた。市民活動をよりパワフルにし、国全体に拡げるために、各地の様々な団体とのネットワークを作ろうという目的です。これもイタリアでは初の試みでした」

「リーベラ」には何人が参加し、幾つの団体と連携しているのだろうか。

「活動の中心は若者ばかりで約四千人です。二十州すべてに支部があり、『リーベラ』が直接、手がけるのは九団体ですが、運営にあたって約千六百の団体と協力しています。アフリカ、ドイツ、中南米などにも団体があり、約五千の教育機関と連携しています」

この店も、ベルルスコーニにこの地区のボスをつないだ企業家からの押収物件だという。そこで、怖い目に遭ったことはないかと訊くと、彼は少しむきになった。

「誤解しないでください。パレルモでは、もう誰も通りで撃たれるようなことはありませんよ。ですが、トト・リイーナ逮捕後、マフィアはまた見えない存在になった。消滅したわけではありません」

聞けば、ナタ―レは大学を出た後、大手スーパーに勤務しており、「リーベラ」の活動は、純粋なボランティアだという。道理で店にいなかったはずだ。店員は時給制だが、責任者の彼はまったくの無給だった。とはいえ、若い彼にはマフィアの暴力沙汰など遠い昔話である。

「ええ、ファルコーネたちが殺された時、僕は八歳でした。事件の真相を知るにつれて意識は変わりましたが、この活動を続けているのは、被災地やスラム街など厳しい環境で暮らす子供たちをシチリア島に受け入れるプログラムがあるからです。島で一月も過ごすと、子供たちの表情が変わってくる。それに純粋に文化交流として楽しいのです。今はドイツの学生が『リーベラ』で働いていますが、サウジアラビア人やスウェーデン人の若者たちも来ました。昔からいろいろな民族が往来したせいか、シチリア人は外国人への偏見がないのです」

「リーベラ」のブレインには、既述の殺された将軍の子息で、ミラノの社会学者ナンド・ダッラ・キエーザがいる。このキエーザによれば、署名活動から生まれた九六年の新法には、不当に巻き上げられた資産を、国民に再分配するという意味があった。そして、その時点では、世界で唯一の法律だった。

日刊紙「コリエーレ・デッラ・セーラ」によれば、二〇一八年までの三十年間で、国の押収が決定した物件は、マフィアから差し押さえた物件の半分以下で、残りは法的手続きすら終えていなかった。国に押収された不動産は一五〇三七件、うち、すぐに売却されたものは七五七件、自治体などの所有となったものが一二〇五六件で、そのほぼ半分にあたる六〇九六件が、シチリア州に集中していた。[44] そして多くの押収地や物件が、活用もされずに長年、放置されていた。

ボスの土地で生まれたワイン

「リーベラ」を母体として、押収地での事業体として二〇〇一年に誕生したのが、「リーベラ・テッラ」（自由な大地）という社会的協同組合だった。その本部は、パレルモから南西に二十三キロのサン・ジュゼッペ・ヤートという村にあった。

さっそく電話してみたが、秋は忙しく、受け入れは援農目的の団体だけだと、また断わられそうになった。そこでわざわざ収穫期を目指して日本からきたのだと懇願し、何とか広報の女性に会えることになった。

のんびりしたこの小さな村も、国内では、悪名高い元ボス、ジョヴァンニ・ブルスカの村として知られ、周辺には大ボス、トト・リイーナが、ブルスカ名義で所有していた農地や不動産が点在していた。ブルスカは二人の判事暗殺などに関与し、そのアジトからは、ミサイル十基、バズーカ十門、カラシニコフ銃五十丁、爆薬四百キロと夥《おびただ》しい数の武器が見つかった。しかし、捜査に協力したことで二十五年の刑期を終えた今は、警察の保護プログラム下にある。出所者に月額約十三万円〜十九万円の給付金と住居も保障されるその処置は、元凶悪犯に寛大過ぎないかと物議を醸している。

事務所の入り口に看板はなく、インターホンに「リーベラ・テッラ」と小さく書かれているだけだ。商品が陳列された古アパートの二階で、髪を短く切り、赤縁メガネをかけたヴァレンティーナという広報の女性が迎えてくれた。北部の大学で学んだというので、就職に有利な北部に残る気はなかったのかと訊いてみた。

「ボローニャで働いていましたが、いずれは帰るつもりでした。ですが、島から若者がいなくなってしまったら、何が残るのですか。この辺は地震ですっかり貧しくなってしまった地域なのです」

六八年の震災は、シチリア西部に甚大な被害をもたらしたことで知られる。長期にわたる群発地震だったことで、ベーリチェ川流域の十四の町では約四百人が犠牲となり、すべての家屋が壊滅した村もあり、多くの人が移住を余儀なくされた。だが、被災地として、サン・ジュゼッペ・ヤート村の名は記憶になかった。そこで調べ直してみると、この村でも約六百軒、近くのコルレオーネでも約千二百六十軒の家屋が半壊していた。

組織の中から見たチョッティ神父は、どんな人物なのだろう。

「こうしたいと閃いたら、即座に、情熱的に動き、天才的に人を巻き込む能力がある人ね。でも神父の拠点はトリノやローマで、ふだんは移民や貧困問題で飛び回っているので、この活動は地元の若い世代が中心になって進めています」

さっそく、「リーベラ・テッラ」が生まれた経緯について訊いた。

「マフィアがその土地を、暴力を行使し、力を誇示する場にしていたのなら、私たちは地元の人たちを豊かにする場に変える。具体的には新しい仕事の場にしていく。そのために何より大切なのは、土地のイメージを変えていく作業なのです」

その年までに国が押収した農地は約千四百ヘクタールに及んでいたが、「リーベラ・テッラ」が、様々な社会的協同組合と協力しながら、オーガニック栽培に切り換えてきた農地は、そのうち約四百ヘクタールを占めていた。

組合の会員は何人くらいなのだろう？

「発足時は十五人でしたが、今は約五十人です。刑務所から出所した人もいれば、薬物中毒から立ち直った人もいます。他州の農場も加えれば約百五十人が働いています」

殺人こそ起こらないとはいえ、残党からの嫌がらせなどはないのだろうか。

「一度は小さなボヤ騒ぎがありました。始めた頃は大ボスの土地だったことで、怖がってトラクターや脱穀機を貸してくれないといった問題で苦労したそうです。最初は働く人も、地元の人も、本当にうまく行くのか、給料は支払われるのかと不信感の方が強かったようです。それでも少しずつ形になり始めると、地元の人も仕事はないかと声をかけてくれるようになって、今はコルレオーネからの若者も多いです」

失業率の高いシチリアで働く場を創る。しかも、おいしく、環境にも良い農作物を育て、加工し、デザインを工夫し、販売する。そんな世界初の試みが、シチリアから国内だけでなく、同じように地元のマフィアと闘う中南米やアフリカの団体へも「リーベラ」のネットワークを通じて拡がっていた。

知られざるオーガニックの先進地

シチリア州は、知られざる有機農業の先進地だ。国立統計局の調査によれば、二〇一七年の有機農場やその加工業者の数は一一三二六社で全国一位、イタリア全体の十八・

九％を占めていた。耕作面積も約四二万七千ヘクタールで全国一位。消費は中北部に比べてまだ低いが、生産量は二〇一〇年以後も目覚ましい成長率を示している。押収地を有機の畑に変えるという発想は、そんな現状に後押しされてのことだろうか。

「マフィアが所有していた土地の暗くネガティブなイメージを変えていく。そのためには、農薬を使う普通の農場ではダメだからです。不正にまみれた社会と真逆の世界を目指す。そのことを表現するには、そこで作られるものが取り立てておいしく、人にも大地にも負荷をかけないこと、つまり、オーガニックを目指す必要がありました。

もうひとつは経済性です。強く意識し始めたのは、南部各地の生協との連携を深めた頃からです。古代から産地だった葡萄や小麦は、安値競争に巻き込まれないように質で勝負し、デザインの良い商品化まで考えることで、もっと利益を上げる必要がありました。どんなに世の中をよくするためと言っても、経済性が低い活動は続きません。農産物の質を高めていくにも、それなりの投資が必要ですから」

大学でマーケティングを専攻したという彼女は、いっそう饒舌になる。

「『リーベラ・テッラ』の商品は情報のツールなのです。スーパーの店頭という日常のありふれた場所で、それを手にとって買い、おいしく食べるだけで、子供も、お年寄りも、誰でも気軽に参加できる社会活動です。マフィアのことなど考えたこともない、会ったこともない人の日常と、現場で闘う人たちをつなげることができる商品だからです。たとえ姿が見えなくなっても、マフィア問題はまだ深刻です。過去の犠牲者たちのことを思えば、陰鬱な課題でもある。その解決することが難しい問題に、誰もが楽しみながら参加できる。この楽しめるということが、私は一番大切だと思うのです」

それはまさにエシカル消費の醍醐味だろう。団体は、各地の社会的協同組合と協力しながら、ワインやパスタの商品ラベルを一と数えれば七十のアイテムを生み出してきた。

商品化の中で最も心がけている点は何だろう。

「商品が似通ってバッティングしないように、その土地の典型的な商品を作るように心がけています。葡萄、小麦、豆もできるだけ、その土地固有の在来種を植えます」

目下、商品化を手伝っているシチリアの押収地のお薦め商品を教えてもらった。

「南部のアグリジェントで、殺された裁判官の名を掲げた『ロザリオ・リヴァティーノ』という社会的協同組合が、若者たちと有機野菜の栽培を始めたので、今、蜂蜜などの商品を開発中です。シラクーサでは、元囚人たちの働く場を作るためにアーモンドを無農薬で栽培しています。別の組合に委託してクッキーを開発しましたが、本当においいしいですよ。東部で初めて押収地でのオーガニック栽培を始めたのは、これもマフィアに殺害された捜査官の名ですが、『ベッペ・モンターナ』という社会的協同組合です。カターニアからシラクーサに点在する九十五ヘクタールでオレンジ栽培を始めています。私たちは、今、パレルモの少年院に商品の梱包などを委託しています。少年院から通えるセミ・リベルタ（入所者が社会復帰のために仕事や教育目的で外出が許される）の制度を利用して、彼らに畑で働いてもらっています。失業率の高い現状で彼らが自立していくことはとても大変でしょう。今後は最も力を注ぎたいところです」

商品化が成功し、ようやく人件費やトラクター代などの生産コストを回収できるようになったのは、ここ数年だというが、「リーベラ・テッラ」の売上は、各地の生活協同組合の売店で扱われるようになった二〇一七年、七百万ユーロ（九億二千万円強）に伸びていた。五十万ユーロほどだった発足時に比べて、十倍以上の成長率だ。農地は自治体からほぼ無償で借り、ＥＵの公的資金、生協やカトリック団体、エミリア・ロマーニャ州の環境団体からも支援を得ていた。ボローニャの倫理銀行は、特に力を注いでいた。視察は生協や大学などの団体に限り、一週間ほど滞在して援農しながら理解を促しているが、今後は環境団体にも声をかけていきたいという。

ただ彼女の写真だけは、どう粘ってもNGだった。「個ではなく集団性を重んじているので、自分たちの写真を媒体に掲載しないのです」という。その時は団体の方針に良い印象は受けなかったが、後で知人から、勇気のいる仕事だから目立ちたくないのではないかと諭された。納得したのは、ナンド・ダッラ・キエーザの著作『ラ・シェルタ・リーベラ』[45]（直訳すれば「自由の選択」、未邦訳）を読んだ時だ。そこには、「組合の活動が持続し、民主主義を貫くために、政治的傾向を排除する。官僚主義やお役所病に取り憑かれないための配慮として、普通の組織では当たり前の階級制度を敢えて作らない。また個人がキャリアを作るための団体に成り下がらないためにも、できるだけ個は目立たず、匿名性を心がける」とあった。

農園には、まじめそうな農業技師のヴィートが車で案内してくれた。パレルモ大学農学部で学んだ後、博士号を取得し、この仕事を志願したばかりだという。

ワイナリーの名は「チェントパッシ」、そう百歩だ。思ったよりも整然とした丘の斜面に拡がる農園の真ん中で、彼がいかにも研究者らしい解説をする。

「長年、放置されていた土壌の再生には、大変な時間と手間を要したそうです。この農園の主な品種は、白はグリッロ、カタラット、赤はネーロ・ダーヴォラ、ペリコーネと在来種で、ブレンドして味のヴァリエーションを出すためにカベルネ・ソーヴィニオン、メルロー、シャルドネ、シラーなど世界的な品種も植えています。新しく押収された標高千メートルの畑では、ネレッロ・マスカレーゼ、ネレッロ・カプッチョ、ノチェーラと在来種だけの栽培に挑戦しています」

この日は、ミラノの生協の人たちが見学中だった。中北部のいくつかの生協が熱心にツアーを組んでは共同購入して支えてくれているという。醸造を任されていたのは、「プラチド・リッツォット」という社会的協同組合だった。

「この組合が運営に携わるようになって補助金で醸造所と木造のセラーを建設したのです。現在、組合員は三十二名。二〇〇六年に始めた時はわずか三ヘクタールでしたが、今では九十四ヘクタールに増えました」

ネーロ・ダーヴォラにシラーを混合した赤や、カタラットの白は業界でも高い評価を得ていた。ただ、ハンディーを抱えた人たちを受け入れる組合で、おいしさを極めるのは大変ではないかと訊くと、働き始めて間もない彼は淡々とこう返した。

「もとの葡萄がおいしくなければ、ワインは決しておいしくなりません。オーガニックというだけでなく、おいしい葡萄に育てるためのモニタリングが私の役目です」

すると、そばに立っていた農園の人が、彼が来る前には、食文化の多様性を守る非営利団体スローフード協会が送り込んだ一流の醸造家や農業コンサルタントが、無償でアドバイスしてくれたのだと小声で教えてくれた。

現場で奮闘する社会的協同組合

ここで、押収地でさかんに活躍する社会的協同組合について少し説明しておこう。九一年に定められたイタリアの社会的協同組合法によれば、市民活動に参加することで人間としての成長を促すこと、ともに地域社会の利益を考えていくことが、その活動の中心に据えられている。その法律は、大きな資金がなくても起業して、働く場を生み出すことを可能にしたが、そこには、EU統合によって懸念される社会格差を是正するという目的もあったのだという。

総会には組合員全員が出席し、その意見が反映されなければならないという民主主義的な組織で、主に健康や福祉サービスなどをするA型と、さまざまな理由から働くことが困難な人のために雇用を生み出すB型がある。後者の場合、対象者は組合員の三十％以上を占める必要があり、シチリアの押収地で活躍するのは、ほとんどこのB型だった。

この原型とも言えるのは、七〇年代から八〇年代にかけて、中・北部を中心に無数に生まれた社会連帯協同組合というもので、そこには、北部の工業地帯に、南部の農村地帯からたくさんの人々が仕事を求めて移住した歴史的背景があるという。この時代、輸出を伸ばしたイタリアは経済成長を遂げていたが、こと北部の都市部において貧困や独居老人、労働環境の悪化といった二極化が生まれた。また、マフィアが薬物の市場を拡げる一方で、若者たちの薬物被害も深刻化した。

そこで共稼ぎや一人親の家庭の子供たちや障がい者を世話するカトリック系の放課後教室、薬物中毒者や元囚人の社会復帰のための農園などが方々に生まれた。

さらに、精神の病は、閉ざされた精神病院ではなく、共同体の中で活動することで治癒すると訴えた北部の都市トリエステの医師バザーリアらの運動[46]が、北から南へゆっくりと拡がっていった。そこで八〇年代には、そんな福祉団体が各地に約六百も存在した。こうした流れを受けて中部の町アッシジで開かれた「組合と連帯〜ユートピアから社会的展望へ」と題するシンポジウムで社会連帯協同組合の連合が生まれ、その後、六年の歳月をかけて社会的協同組合法を実現したのだという。

コルレオーネのチプリアーニ元町長も、「ラボーロ・エ・ノン・ソーロ」（仕事だけじゃない）という社会的協同組合の活動を通じて、「リーベラ」との協力関係を深めたという。困難を抱えた若者たちが多く働くこのB型の組合は、五十四ヘクタールの押収地で、オーガニックの小麦やひよこ豆、レンズ豆を生産している。今でも収穫前の畑に放火されるといったマフィアからの嫌がらせはあるが、粘り強い活動を続けている。

また、コルレオーネの押収地で農家レストランを運営するのは、「ピオ・ラ・トッレ」という生協連が支援する社会的協同組合で、最近、シチリア最大のフィクッツァの森の散策などをゆっくり味わってもらうエコな旅を根づかせようと農家民宿も始めた。

そして、シチリアで押収物件を活用した農家民宿の老舗といえば、「ポルテッラ・デッラ・ジネーストラ」[47]、エニシダの原だ。二人の判事暗殺の主犯格だったブルスカから押収した農場で、長く放置されていた畜舎を自分たちで改修して食堂にした。現在は「リーベラ・テッラ」と「プラチド・リッツォット」、二つの組合の共同運営だが、開業からこの農家民宿の運営を任されているのは、二人の男たちだった。

私は、この素朴な農家民宿が好きで二度ほど泊まった。

その一人、料理を担当するエミリアーノはローマからの移住者で、彼の料理は野草やきのこまで地域で採れるものを最大限に生かす、独自のアレンジが利いたシチリア料理だ。十八番の前菜、ほうれん草、きのこ、チーズ、牛の頬肉などの小さなアランチーニの盛り合わせには、郷土料理のひよこ豆の薄焼きまでつく。

朝食はパン、ビスケット、ヨーグルト、果実ジュースに至るまでイタリア産のオーガニックで、店で売られるワイン、豆も、パスタもすべて押収地で作られたものだ。都市の高級レストランではなく、素朴な田舎の食堂で大枚をはたかずともこんな朝食がいただけることが、何とも未来形だった。

朝靄の中を散歩していると、畑でオリーブの実や野草を摘むエミリアーノが、ここへ来た時は、店の周囲は樹木もまばらで荒れ放題だったと教えてくれた。そこに突如、大勢の人が現れ、店の改修を手伝った。中でも彼は、「リーベラ」のメンバーだという社会派の神父たちのネットワークと行動力に圧倒されたという。

「トスカーナからきたある神父は、乾いた土地だからもっと緑を増やそう、店の周りにオリーブや果実の木を植えたいねと言うなり、どんどん仲間に連絡し始めた。するとあっという間に、全国からいろんな苗木が無料で届いたんだ」

その後は匿名性を重んじる組織の中で、彼らは誰に評価されるでもなく、限られた予算の中で畑の面倒をみながら、この店を守り続けている。

第七章　食品偽装と震災復興

アグロマフィアとは何か

「リーベロ・フトゥーロ」、自由な未来という団体を立ち上げ、恐喝を受けた人たちの支援をしてきたエンリコが、ある日、ニコラ・クレメンツァという有機農家を紹介してくれた。

「ニコラは、六八年の震災の被災地ベーリチェ渓谷に点在する十二の自治体の約二百軒の小さなオリーブ農家の組合を作り、地域のブランド力を高めようとした。ところが、その発想がマフィアのお気に召さなかったと見えて、車に火をつけられた。なぜかって？　マフィアは、あらゆる産業で独占化を進めたんだよ。建設、不動産、中でも食品業界は、その発生期からのターゲットだ。彼らは質の低い食品が高級ブランドに化けるしくみでも大金を稼ぐ。注文の何倍も増やせるから市場もすぐ拡大できるしね」

二〇一六年の春、ニコラはちょっとした時の人だった。同年一月三日、彼は、アメリカの人気報道番組「60ミニッツ」が組んだアグロマフィア特集に出演した。[48]

アグロマフィアとは、農業に網の目をはるマフィアという意味の最近の造語である。イタリア料理の人気が世界で定着しつつある昨今、輸出食品のブランド力を貶めかねない深刻な問題というので、政府もかなりの予算を投じて対策に乗り出した。

番組では、イタリア国防省の治安警察に作られた食品偽装犯罪のための特別部隊が紹介された。食のＦＢＩと呼ばれ、テイスティングと化学的実証によって偽装を暴く専門家六十人を含めた千人体制だという。前年の二〇一五年には、イタリア産エクストラ・ヴァージン・オイルと偽って輸出しようとしたシリア産とトルコ産の安価なオリーブ油が約七千トン、使用禁止の硫酸銅で緑に色づけされたオリーブ八万五千トンなどが押収されていた。また本来、ＥＵの基準でエクストラ・ヴァージンと呼べるものは、一番搾りの何も添加しないオリーブ油に限られるが、とても高価なために偽装が絶えないという。番組では、安いオリーブ油にひまわり油や菜種油を混合し、クロロフィルで色づけする手口が紹介された。また、近年も香料や砂糖を添加してブランド・ワインに化けた安ワイン、過酸化物で漂白されたモッツァレッラ、コーンシロップで水増しされた蜂蜜、イタリア産に化けていたトルコ産のヘーゼルナッツや中国産のトリュフなどが発覚した。

さて、特番の中で偽装オイルの対極として紹介されたのが、ニコラのオリーブ油だ。彼が注目されたのは、単にオーガニックというだけではない。それが、最後の逃亡者と言われるマテオ・メッシーナ・デナーロの影響力が強い地域だったからだ。

デナーロは、アメリカFBIが最も危険な世界の逃亡者リストに連ねたマフィアのボスだ。ブルスカやバガレッラたちと、ファルコーネら二人の判事暗殺や連続テロ事件にも関与している。

島の南西部カステルヴェトラーノで一九六二年に生まれ、銀行や塩田を経営していた父親がマフィア大裁判で逮捕された後、町のボスになったとされる。私的な揉め事でホテル経営者を殺害するなど三件の殺人事件の容疑者でもある。商才に長けた頭の切れる男で、ボスたちのビジネスの相談役だったという。

一度は、パレルモのサッカー・スタジアムで観戦する姿が目撃されているが、逮捕されないのは、カリスマ性の高いこのボスが、殺人も抗争も起こらなくなった現状を維持し、ある種の力の均衡を保っているからではないかという人もいる。しかし、近年の捜査から、彼が元市長を利用し、偽名で公共事業を受注していたことが発覚し、その妹夫婦、行政官、企業家が次々と逮捕された。そこに浮かび上がったのは、麻薬や美術品の密輸、建築、不動産、金融、再生エネルギーなど多岐にわたる闇のビジネスを展開していた逃亡者の姿だった。やがてスーパーチェーン店の社長が、その資金洗浄に関わっていた疑いで逮捕された。この時、多くの不動産とともに押収されたのが、広いオリーブ畑と搾油所だった。デナーロは、ベーリチェ渓谷からアグリジェントにまたがる広域で、農地の管理、移民の不法労働、搾油から輸出までを仕切っていたという。

アグロマフィアのもう一つの収入源は、EUから農業に投下される多額の補助金だ。EUの直接支払いの補助金は、葡萄や小麦と複数申請すれば、一ヘクタール当たり毎年三千ユーロ（約三十九万円）にもなるという。本来ならば、行政官が検閲し、申請の真偽を見分ける義務があるが、問題は不正に協力する役人の存在だった。

近年、イタリアでは取締を強化しているが、偽装された食品の押収はまだまだ減っていない。その一方で、アグロマフィアは、海外の新興地へ手を広げているそうだ。海外での助成金詐欺だけでなく、不正に奪われた農地が、苛酷な不法労働の温床となり、しばしば有害廃棄物を埋め立てる場ともなる。また、海外の安すぎる偽のイタリア産食品は、そのブランド力を傷つける。そして、畑から食卓までの距離は遠くなり、エネルギーの浪費と大気汚染を増大させる。

しかし、国会の反マフィア委員会は、現実にはマフィアよりも、不正を行う企業の方が多いことを指摘している。自給率が低く、輸入に多くを依存する日本も他人事ではない。もう少し、加工食品の中身や製法、現地の労働条件に目を向けるべきだし、食品表示についても議論すべきだ。今後、食品産業における「倫理」が世界的に問われていく中で、日本も食品の輸出を伸ばそうと言うのなら、避けては通れない課題である。

労働と移民

ニコラと待ち合わせたのは、島の南西部の町カステルヴェトラーノだった。車で迎えに来てくれた彼は、よく日焼けした大柄な人で、黒い巻き毛に大きな褐色の目をしていた。相手の目をみて、言葉を選んでゆっくり話をしてくれる彼は、元小学校教師だった。

人口三万人強のこの町は、メディアでは「最後の逃亡者の町」などと形容されることも多いが、食通の間では幻のそれは香ばしいパンが残る町として知られている。トゥミニアという希少な在来小麦、天然酵母、水、塩だけを使った褐色のパンだ。貧民のパンと呼ばれ、消えかけていたが、近年、復活した。それでも、薪にはオリーブの枝を使い、昔ながらの窯で焼き上げる店は数軒だけである。

日本の米農家のように、イタリアの小麦農家をめぐる現状も厳しかった。イタリアの食料自給率は六十%で、パスタやパンの材料である小麦でさえ自給率は約六十五%だ。イタリアの大手食品産業が安い輸入小麦を使うことで、南部の約三十万人の小麦農家は危機的状況に追い込まれていた。その一方で、聖書に書かれた神聖な食材、小麦の世界にも、アメリカでゲノム編集小麦が現れたこともあり、在来小麦が注目を集めつつある。

在来小麦がたくさん残るシチリアの中でも世界的に知られる製粉所「モリーニ・デル・ポンテ」は、この町にある。この店が、石臼を使った伝統的な製粉にこだわるのは、これでしか良さが引き出せない在来小麦を扱っているからだ。売店に並ぶさまざまな品種の小麦のパスタは、どれも無農薬で、若い主人はニコラの友人で、ともに「さよなら、みかじめ料協会」の会員だった。

ニコラが暮らすのは、そこから車で十五分ほどのパルタンナ村だった。ここはリタ・アトリアという少女の出身地だ。マフィアのボスの家に育ち、抗争で父と兄を失った少女が、幼い頃からつけていた日記を証拠として持ち込んだのは、ボルセリーノ判事のもとだった。ところが、後日談がある。頼りにしていた判事が暗殺されると、そのショックから保護されていたアパートから身を投げてしまったのだ。少女の実話は、『運命に逆らったシチリアの少女』（二〇〇八年、伊。マルコ・アメンタ監督）という映画になり、日本でも上映された。教員仲間と彼女の葬儀に参列したニコラによれば、地元の人はわずかで参列者は記者ばかりだったという。さらに、その母親は、証言台にも立った娘の墓を金槌で破壊し、逮捕されていた。

リタの墓にお参りして、ニコラの娘たちを迎えに行くと、教員の妻はまだ学校だというので、彼が昼食を作ってくれた。自家製のバジルソースに細く割いた焼きナスをのせた特製ペンネだ。パスタも、チーズも、ワインもすべて知り合いが作ったオーガニックだった。さっそく、古代から栽培されてきたオリーブの生産組合を作ろうとした理由を訊ねてみた。

「ある時、ふと疑問に思った。フランスのブルゴーニュ地方は組合を作ったことで、ワインの質を上げ、ブランド力を高め、農家も豊かになった。一方、ベーリチェ渓谷の農家たちは、なぜ安い賃金で苦労ばかりしているのか。調べてみると、この地域には流通業者の組合はあっても、地域全体にまたがる生産者の組合がなかったんだ」

ブルゴーニュ地方のサンテミリオン組合は、八つの自治体にまたがる農家が設備投資などを共同で行い、トレーサビリティを高めたことでワインの価値を上げることに成功していた。ニコラは、同じことが地元でもできるはずだと考えた。

「島にはオリーブ栽培の長い歴史がある。近くのセリヌンテの古代遺跡からは、二千七百年前の搾油器が発掘された。島西の街の名で、名物ワインの名でもあるマルサーラの語源はアラビア語で神の場所《マルサ・アッラ》という意味だ。山が少なく九割が耕作可能な肥沃で大きな可能性を秘めた土地なんだ。農家をまわると、ほとんど在来種のノチェラーラ・デル・ベーリチェを栽培していた。この品種は、EUで唯一、油用と食用、両方のDOP（原産地呼称保護）を持っている。地域の伝統食材としてのお墨付きなんだ」

彼は、二〇〇六年、農家の生産コスト削減のため、種や苗の共同購入や農機具を貸し出すしくみを作る提案をした。その結果、コストを約三十％も抑えられたことで生産者の信頼を得て、約二百人の組合が誕生したのだ。

「ただ名を連ねるための組合では意味がありません。質を高めるための共通の規約を作っていくことが大事です」議会でそう力説した翌日、彼の車と組合の事務所が放火された。この一件で妻も農家たちも怖じ気づいてしまい、この件は保留となった。

何が起こったのかもわからずにいた彼のもとに、捜査官がやってきた。

「君は勇気があるね、というから何のことかと訊くと、デナーロの捜査で傍受していたら、パルタンナに頑固者がいてちっとも言うことを聞かねえ、とマフィアが僕の名前を挙げていたというんだ」

捜査官によれば、原料を安く作らせ、質をごまかして稼ぐマフィアの商売には、トレーサビリティを高める組合など目障りだったのだという。以来、ニコラは捜査にも協力するようになり、その後、押収地と搾油所の運営を頼まれると、迷わずこれを承諾した。

「商品が完成すると、捜査官たちが感動して口コミで広げてくれて初年度は完売した。でもそれじゃ続かないから、翌年はエンリコの紹介で生協や『さよなら、みかじめ料協会』にも売り込んだ。嬉しかったのは、押収されて失業するんじゃないかと心配していた搾油所の従業員が喜んでくれたことだね」

押収地の収穫風景を見たいと頼むと、ニコラが車で連れていってくれた。

押収地への道のりの海岸近くは、カオスだった。その数年間、シチリアを目指すアフリカからの難民船が増え、押収された倉庫はいつからともなく住み始めた移民たちで溢れていた。

スピードを緩めたニコラに「写真を撮られるのを嫌がるから、さっと撮影してね」と忠告されるやいなや、車に近づいてきたアフリカの青年たちが、「お前たち、何の用だ」と荒くれ始めた。ニコラがいなければ、どうなっていたことか。彼は、赤十字やカリタスとともに定期的に食料を届け、子供たちの世話をしていた。カメラを手にした私に中指を立てて悪態をつく男たちを尻目に、慌てて車を進めると、彼が言った。

「すまない。でも、攻撃的にならざるを得ない状況があるんだ。百人しか住めない場所に八百人もいて物資も足りないからイライラしているんだ」

ニコラが任されていたオリーブ畑は、そのすぐ先だった。木に梯子をかけ、手摘みで収穫しているのも移民たちだったが、ずっと穏やかだった。

「マフィアは、移民たちを安く使って搾取していた。僕は、彼らが新しい人生が始められるように、まともな待遇で働いてもらっているし、市民権を得る手続きも手伝ってるんだ」

その頃は難民船の転覆事故が増え、イタリア政府は救助に追われていたが、無闇に受け入れることでEUの非難を浴びていた。その後、難民船救済の予算が大幅に削減されたことで、移民たちの数もかなり減少した。

数年後、ニコラは、軌道に乗った押収地の仕事を知人に委ねると、農家の高齢化で増え続ける休耕地を少しずつ買い、無農薬のオリーブ油作りに専念し始めた。

逃亡者の影に怯える地域で、車を燃やされた時、もう辞めようとは思わなかったのか。

「親戚も友だちも、そんな危険なことはやめておけと止めた。でも、僕は自問した。娘たちが二十歳になった時、自分の父親は臆病者だったとは決して思われたくはない。絶対にそれだけは嫌だった」

こうして彼は、「ノー・マフィア」という反マフィア団体の副会長を引き受け、「リーベロ・フトゥーロ」の支部を発足させると、脅された企業家のサポートを始めた。

そんな彼に、カステルヴェトラーノの大聖堂の装飾は、フリーメーソンを思わせる記号だらけだったと報告した。八〇年代、フリーメーソンとマフィアが絡む金融スキャンダルを思い出したからだ。すると、ニコラの顔色が変わり、急に見せたいものがあると裏の路地に案内された。そこには扉に鍵のかかった部活部屋のような粗末な小屋が並んでいた。彼は、そのうち二軒の前で車を停めて「ここところ」と指さす。

「フリーメーソンの支部だよ。でもね、マスコミが言うような怪しい会じゃないよ。僕の車が燃やされた時、僕らはあなたの味方です。頑張ってください、と電話をくれたのは、この二つの会の人たちくらいだったからね」

フリーメーソンの会員たちは難民支援にも協力してくれたという。陰で暗躍する組織というイメージを抱いていたが、その話を聞く限り、純然たる慈善団体のようだ。伝播の時期も、会派も違うフリーメーソンが、この街にはいくつもあるらしい。

被災地で強まるマフィアの力

アフリカ・プレートとユーラシア・プレートの境界に位置するイタリアは、日本のように地震大国である。だからこそ、福島の原発事故が起こった時、イタリアの市民は、ベルルスコーニ政権が進めていた新しい原発計画を国民投票で止めたのだ。活火山エトナもあるシチリアでは、一九〇八年のメッシーナ＝カラブリア地震で約七万五千人が犠牲になるなど、古くから被害が報告されている。

そして、六八年に震災に見舞われた西部のベーリチェ川流域では、半世紀が過ぎた今でも暗い影を落としている。

この時は、最大震度がM六・四だったにもかかわらず、長期にわたって三百回強の小さな揺れが続く群発地震だったことで多くの人が家に戻れず、約一万二千人が北部や外国に移住した。若者や雇用が減少したことで、地域はすっかり疲弊してしまった。被害が大きかったのは、ベーリチェ川流域の十四の町で約四百人が死亡、約千人が負傷し、三つの村はほぼ壊滅状態だった。

　そして、被災地では、復興資金をめぐる不正や公共事業に伴う不法労働の増加から、マフィアの支配力が強まったという。また今も問題視されているのは、村に戻れずにいる住民たちに政府が無料の片道キップを配布したことだ。中にはそのまま海外に移住した人もいて、過疎化に拍車をかけた。

　被災者の支援に奔走した労働運動家ダニーロ・ドルチは、瓦礫の上に大きな文字で「震災よりも、お役所主義が人々を殺す」と書いて世界に訴えた。震災の八年後にも約五万人が仮設住宅に暮らし、最後の仮設が取り壊されたのは二〇〇六年のことだった。

　そこで被災地のひとつ、震源地に近かったジベリーナの街を訪れてみた。隣接するサンタ・ニンファやポッジョレアーレには、時が止まったかのように廃墟の街がそのまま残されていた。一方、壊滅状態だったジベリーナの街があった斜面には、「亀裂」と名付けられた巨大なモニュメント[49]が造られていた。緑の丘に拡がるコンクリートの荒涼とした無の空間は、死者を弔うための墓碑だという。その場に立つ者を悲しい気持ちにさせるのはきっと思惑通りなのだろう。

そこから約二十キロ東の岩盤の上に築かれた新しい街では、アートでの街づくりが試みられた。コンクリートのアパートが整然と並ぶ街には、現代美術の作品がそこかしこに置かれていた。地中海文化の対話をテーマにした美術館には、北アフリカ諸国から寄贈された民芸品や民族衣装などが展示されていた。

近年には、震災復興に尽くした人々の記録をたどる小さな博物館が生まれ、「地中海ワイン・フェア」が毎年、開催されるようになった。そのキャッチフレーズは「街を揺らせ！」だ。この街だけでは小さな振動でも、多くの街が同時に発信すれば、長い眠りに落ちていたベーリチェ川全域を大きく揺さぶることができる。被災地であることを逆手にとったユーモアだった。

かつての被災地では、若い新規就農者たちが活躍し、演劇や音楽と融合したアートの街づくりには再評価の兆しもある。それでも、私には、この日、運転手に雇った青年の話が忘れられない。彼が「この街、どう思う」と訊く。イタリアらしからぬコンクリートの街には人影もまばらで落ち着かなかった。すると、彼がこう言ったのである。

「この街は、震災後の復興モデルの壮大な実験場にされたのさ。学者たちが、ああでもないこうでもないと検討し、英国や北欧風の住宅が造られた。ここに住んでいるから言うけど、南イタリアの集落に特徴的な、隣同士が自由に行き来できるようなつくりじゃないだろう。プライバシーは尊重されるかもしれないけど、個々の家が切り離されて何だか淋しいつくりだよ。若者はあまり残らないし、年寄りたちも暮らしにくそうにしているよ」

ミラノやローマの建築家たちが手がけ、セメントを大量に投下した復興の街づくりは、半世紀が過ぎた今も批判の声に晒されている。そしてベーリチェ地震の復興資金の横領と不正入札を捜査したボルセリーノ判事のこんな発言が残されていた。

「シチリアが貧しいからマフィアが巣くうのではなく、経済の動くところにそれは育つのです。政府からベーリチェの復興資金が降りた時の騒動が、そのことを証明しています」

何もかもが、遠い国の話には思えなかった。

反マフィアに激震

二〇一六年、シチリアの反マフィアの世界に激震が走った。これまで足並みを揃えて進んでいると信じてきた司法界のスキャンダルである。

まず、ピーノ・マニアッチというジャーナリストが、恐喝で起訴された。主宰する「テレヤート」というローカル放送局の番組では、シチリア弁でまくしたて、時に聞くに堪えないほど口も悪い。観光や食文化も扱うが、注目を集めていたのは身体をはったマフィア取材で、しばしば他の記者たちの記事の種にもなっていた。

起訴の後、テレビやネットのニュースでは、治安警察が隠しカメラで撮影したという後ろ姿のマニアッチが現金を受けとる映像が繰り返し流された。そうした報道を見る限り、彼はいかにも怪しげな灰色の人物だった。

そこでエンリコに、どんな人かと訊ねてみると、意外な返事が返ってきた。

「シチリアではすごく有名だよ。いつも突撃取材で、捜査官や遺族だけでなく当事者の取材までするから何度も危ない目にあった。彼とはいっしょにエシカル消費の署名運動をした仲さ。サグート裁判官の不審な動きを最初に指摘したのも彼だ」

マニアッチの言動には賛否両論あるが、彼のローカル局は、八九年、シチリアでマスメディアのオルタナティブとして生まれた。

一方、シルヴァーナ・サグートという女性裁判官もまた、詐欺罪で公判中だった。若い頃はキンニーチ治安判事の部下で、マフィア大裁判の裁判官の一人として活躍し、その後はマフィアの押収物件を管理する機関の所長となった。いうなれば反マフィアの最前線に立つ女性だった。容疑は、マフィアだけでなく、その関与が疑われた企業家の物件も予防的に押収できるという法律を悪用した詐欺の疑いだった。

その傍受記録からは、書類を改ざんした行政官、相談役だった元司法行政官の弁護士、彼女のコネで息子を政界に送った元判事、予防的押収法の共同制作者で、彼女の息子の卒論を助手に代筆させた大学教授までが絡む怪しい関係が浮かび上がり、メディアは、これを「サグートの魔法陣」と呼んで面白おかしく書き立てた。

これを最初にスクープしたのがマニアッチだった。予防的差し押さえを受けた企業家が彼の放送局に苦情を訴えたことから、これを番組で取り上げ、裁判所に、法律を逆手にとって私腹を肥やしている者がいる、と報じたのだ。彼が、恐喝容疑で訴えられたのは、その直後だった。彼を陥れたのは、おそらく噛みつかれたサグート裁判官側の暗躍と考えられているが、この汚職事件には、もっと上層部の人間が関わっている可能性を指摘する人もいる。

二〇二〇年の冬、新型コロナの被害が深刻化する中で、サグート元裁判官には、公的文書の偽造、背信罪などで八年六か月の懲役刑が下った。一方、マニアッチには、恐喝の事実はないと無罪判決が下ったが、資金難から、三十年続けてきたローカル放送局は閉局に瀕《ひん》している。

双方の裁判とも最終判決を待つ、二〇二一年の秋、早くもマニアッチとサグートの確執を描くテレビ番組が、「ヴェンデッタ　真実、嘘、マフィア」と題してネットフリックスでリリースされた。[50] 最後のエピソードでは、ファルコーネの「マフィアは、しばしば不正の隠れ蓑になっている」という言葉が引用された。どちらに加担するでもない客観的な視点ではあるが、不正の全貌に切り込むこともなく、全体としては反マフィアの潮流をどんよりと澱《よど》ませる内容である。

同じ頃、「さよなら、みかじめ料協会」を母体として生まれ、多くの恐喝を受けた企業家たちの訴訟問題を支援してきた市民団体、「リーベロ・フトゥーロ」の会長エンリコも窮地に立たされていた。二〇〇九年、前述のように、この団体は、シチリア産業連合とイタリア建築協会との協定を結んで、入札のためのホワイトリストの作成を宣言した。ところが、その産業連合の新しい幹部が、賄賂や警察のデータベースへの不正アクセスといった罪で起訴されたのだ。

二〇一五年には、シチリアのある建築会社が予防的押収を受けたニュースが、世界を駆けめぐった。日本でも、マフィアとつながりがあるとされる島の裕福な企業家から十六億ユーロ、当時で約二千百五十億円の資産が押収されたと報道された。

国内の記事には、その灰色の企業が、「さよなら、みかじめ料協会」にも名を連ねており、恐喝を受けたと訴えた過去の裁判では、「リーベロ・フトゥーロ」が、これをサポートしたと書かれていた。

すると、その直後、州知事特権で、「リーベロ・フトゥーロ」は反マフィア団体の公式リストから除名された。さらに、マニアッチが代表だったパルティニコ支部、ニコラが代表を務めるカステルヴェトラーノ支部、バゲリア支部が同様の処置を受けた。バゲリアでは商店主たちが団体を立ち上げた矢先のことだった。

詳しい説明を求めても州知事からの返事はなかった。そこで、不当な処分に抗議して、エンリコは四十二日間のハンガー・ストライキを決行した。三千人の署名を集め、水や栄養補給剤は摂取したが十五キロも痩せた。

「リーベロ・フトゥーロ」は、これまで恐喝を受けた三百人近い人々の法的サポートを続けてきただけでなく、彼らを説得して警察の捜査にも貢献してきた。協定に署名した反恐喝団体ＦＡＩにも、母体の「さよなら、みかじめ料協会」にもお咎めはなく、そこからスピン・オフしたエンリコの団体だけが処分の対象となった。

予防的押収という法律の適用は、捜査の勇み足による冤罪を生む可能性もあるし、悪意によって企業家が陥れられることも皆無ではない。

すでに予防的押収を受けた二人の企業家が冤罪を主張して訴訟を起こし、勝訴していた。世界的ニュースになった建築会社もマフィアとの癒着を否定して控訴し、差し押さえから七年後、ようやく資産の返却命令が出された。十六億ユーロという数字も、書類の改ざんで水増しされていたことがわかった。

この一件で痛感したのは、ネットやテレビ、新聞など報道のあり方と危険性である。もし、マニアッチのそれまでの活動を知らなければ、ネット動画や断片的な記事を読む限り、彼は怪しい人物に見えた。情報の捏造という問題もある。それに、一度世に出た情報はほぼ訂正されない。冤罪で勝訴した企業家たちも、押収とマフィアの関与疑惑は大々的に報道されても、潔白が証明された記事はいたって地味だった。

エンリコは、疑いだけで差し押さえできる現行の法律を早急に見直す必要があるという。

「マフィアとつながりがあるという容疑には、もっと具体的な証拠が必要だ。予防的押収という法律は、マフィアが極めて暴力的で緊急を要した時代には有効だった。だが三十年が過ぎた今、通常時の法律に戻すべきだ。でなければ今回のような不正や冤罪は、今後も免れない」

もうひとつ、この騒動で気づかされたのは盗聴大国イタリアの怖さだ。

警察の諜報活動のせいで、マニアッチは公判で愛人がいたことまで暴露され、普段から毒舌なサグートは、ボルセリーノの遺族に対して悪態までついていたことが露呈し、たとえ最終的に無罪となったとしても、その社会的生命はすでに奪われたも同然だ。

イスラム原理主義者のテロが横行した翌年の二〇一八年、「ニューズウィーク」に、「なぜイタリアはテロと無縁なのか」[51]という記事が掲載された。それによれば、イタリアがテロと無縁なのは、過去に政治的テロが横行したことで経験値が高いこともあるが、マフィア対策のおかげではないか、というのだ。なにしろイタリアは捜査当局による通信傍受の数が桁違いに多い。二〇一二年、ドイツが、二三六七八回、フランスが四一一四五回、イギリスが三三七二回に対し、イタリアは一二四七一三回だった。

EU議会は、予防的押収法を民主主義を脅かしかねない法律として、その改正を再三、求めている。この法律は、反政府的な団体への弾圧の危険性だけでなく、法を操る側の不正の可能性がしばしば指摘されてきたが、サグート裁判官をめぐる騒動はそれを証明することになった。誰かを陥れようと思えば、何らかの恣意的な情報操作にこれほど便利な法律はなかった。

さらに、この騒動で見えてきたのは、マフィアの関与をいかに判断し、どこで線を引くかというグレーゾーンの問題だ。イタリアには家族経営の企業が多い。もし、兄がマフィアと完全に縁を切ろうとしても、弟が便宜を図ってもらおうと考えた場合、現行の法律は前者を守ってはくれない。また先代がみかじめ料を払っていた企業の後継者が、恐喝に屈しないと決意した場合、司法はこれをどう判断するのか。

最近、親戚にマフィアがいる人の相談を受けているというニコラはこう言う。

「グレーゾーンの企業家と言うけれど、初めてみかじめ料を払えと脅されて届け出た企業家より、長い間払いながらも、ある日、そこからの脱却を決意した企業家たちの方が勇気が要る。僕らはもっと、そういう人に寄り添っていくべきじゃないかな」

一方、エンリコが懸念するのは、反マフィア活動をめぐる空気の変化だ。

「二〇〇七年はいわば反マフィアの最良年だった。リーベロ・フトゥーロの創立式で当時の産業連盟会長は、ピーナたちに、かつて連盟がリーベロを孤立させたことを、その場で三度も謝罪した。その姿は、集まった若者たちにも百六十年のマフィアの歴史に終止符を打つ時が近いという希望さえ抱かせた。ところが二〇一八年、僕らの会を公式リストから除名した州知事が、『さよなら、みかじめ料協会』の総会でこう言って釘を刺した。みかじめ料を要求されたと届け出る人はごくわずかで、その多くが、入札制度に参加するという利益のために届け出るのです、と。ショックだった。あの年、シチリアの反マフィア運動の空気が変わったんだ」

父兄にマフィアもいるという島の南部の中学校で、エンリコたちが企画した反マフィアの勉強会に同行したことがある。その会場で、子供たちに熱心に話をしていた若い企業家たちの希望まで、州知事は奪わなければならなかったのだろうか。

エンリコが所在なげに言った。

「このままでは脅された人が相談に来てくれても、遠縁にマフィアがいて、みかじめ料を払った過去がたった一度でもあるなら、悪いことは言わないから届け出も、訴訟も諦めて、今すぐ荷物をまとめて海外に移住しなさいと言わなければならなくなる。親戚にマフィアがいてもまっとうな商売をしている人は大勢いる。

ただ唯一の希望は、マフィアにお金が流れない買い物をしたい、そのために商品を選ぶというエシカルな消費者が、今も成長の兆しを見せていることかな」

公式リストからの除名で、公的助成は受けられず、捜査官との連絡も取れない中で、彼らは淡々とボランティアを続けていた。マフィア研究家のサンティーノが指摘したように、マフィアの世界に勧善懲悪はなかった。そこには限りなく大きなグレーゾーンが横たわっていた。最も闇が深いと言われてきた建築業界にまで性急に切り込んでいったエンリコたちは、遅かれ早かれ、どこかで地雷を踏むことになっていたのだろう。

美しい海と地元で採れるおいしいものさえあれば

育ててきた団体が行政の処分を受けて鬱々としていたエンリコを励まそうと考えたのか、ある日曜日、ラウラが、みんなでピクニックに行こうと言い出した。彼女の一人娘やその同級生もいっしょだ。ニコラの畑に収穫を兼ねて出かけるのだという。

数か所に分散するニコラの畑は、二十ヘクタールに増えていた。農業従事者の高齢化で不耕作地が増えているのは、日本と同じで、そうした農地を請け負っていたからだった。ラウラたちは、ニコラからの提案で、一人百平米のオリーブ畑をそれぞれ安く購入していた。普段の畑の世話は、ニコラとその従業員に任せているが、時間ができれば、週末には、こうして遊びに来るのだという。この日は、仕事で来られなかったが、「さよなら、みかじめ料旅行社」のダリオも、畑を買った一人だった。

ニコラにしてみれば、島に増えている不耕作地をみんなで支えられる手段だし、こうして通ってもらえることで無農薬の大変さを現場で伝えることもできる。一方、ラウラたちにしてみれば、一年分のおいしい、しかも無農薬の油が安く手に入るだけでなく、逃亡者デナーロが潜伏しているかもしれない地で暮らすニコラが孤立しないための口実でもあった。

ニコラが、黄緑色のオリーブの実を一粒摘んで見せてくれた。

「この畑はすべてノチェラーラ・デル・ベーリチェという品種で、低い枝の大きな実は手摘みで食用に、高枝の実は緑のうちに摘んで油にするんだ。ポリフェノールの含有量が多く舌になめらか、香りも優しいから野菜や魚料理にもよく合うよ」

エンリコは、妻のエレナと、押収地で農業を続ける福祉団体の商品を企画中だった。この日、ピクニックにワインやパン、生ハムとともに持参した小瓶のラベルには、「オリーブオイル・エクストラ・エティカ」と書いてあった。エティカとは倫理のことで、社会的にも最高級というエクストラ・ヴァージンのパロディだ。

オリーブの木陰で、そのオイルをたっぷりかけたパンを満足げにつまみながら、エンリコが独り言のようにつぶやいた。

「法律的には、いろいろ不備もある。だから、みんなで声を挙げて改正していく必要がある。でも、シチリアがマフィアのおかげで経済的に潤ったなどというまやかしの神話を突き崩すには、不法に奪われた資産や土地を、戦略的に次世代のための価値を生み出す資源に変えていくことはやっぱり大切なんだ」

人生にはいろんなことが起こる。いや、彼らに関していえば、いろいろ起こりそうな人生をわざわざ選んでいるともいえる。それでも、この肥沃な大地と美しい海、地元で採れるおいしいものさえあれば、きっとシチリア人はへこたれないだろう。

第八章　もう、そんな時代じゃない

恐喝者を取り押さえた有名ピザ屋

ビジネスの最前線にいる若いシチリア人たちの意識は、明らかに変化していた。マフィアや不正への嫌悪感は、ファルコーネとボルセリーノ判事の暗殺を多感な時代に経験した世代には特に顕著だった。取材中にも、そのことがわかる事件が発生した。

パレルモ市内の北西部、サッカー・スタジアムの先に、開店前から人が並ぶ「ラ・ブラチェーラ」という人気のピザ屋があった。その経営者コットーネ三兄弟の次男、ロベルトを紹介してくれたのは、エンリコの妻エレナだった。高校の同級生が、みかじめ料を断っただけではなく、自分たちで犯人を取り押さえたというのだ。

マリリン・モンローやハンフリー・ボガートなど往年のハリウッド・スターの写真で

埋め尽くされた店の壁には、『ゴッドファーザー』に扮するマーロン・ブランドも並んでいた。開店の一時間前、ピザ職人たちが来て窯に火が入った頃、ロベルトが現れた。長身のがっちりとした体格。話をする時、うっとりするように目を細めるクセがある。食前酒のカンパリを振舞うと、さっそく、その日のことを話してくれた。

「夜八時頃、店にきた男が何もせずに立っている。仕事でも探しているのかなと様子をみていたら、半時ほどしてマルガリータを一枚注文し、ちょっと話があるから表に出てくれるかという。お前に会いたがっている人がいるから、会いに行ってその人を探しな。そうすれば、あとはいいようにしてくれるからと。最初はとぼけて、本当にその人、僕のことを探しているのかな。今は二〇一六年だけど、まさか、月ごとの集金の話じゃないよねと返した。すると相手はそうだと答える。そこでもう一度、僕らは今、二〇一六年に生きているけど、お金を払えなんて言っているわけじゃないよねと念を押した。何度か繰り返した後で、じゃあ、どうしたらいいんですかと訊くと、やるべきことをやれという」

これまでも同じ場所で営業してきたのに、なぜ、急に要求してきたのだろう。

「昨年、隣の倉庫を買って店を百席に拡げた。でも夏場は店内が四十度近くになって職人たちもきついから、四か月間だけ、使われてなかったランペドゥーサ男爵家の屋敷を借り切って百八十席のピザ屋を開いた。庭園にテーブルを並べて、小さな子を預かるキッズ・コーナーも作って二人の女の子が面倒を見て、ピザ生地で粘土遊びもできるようにした。子育て世代もゆっくり食事を楽しめるだろう。それがうまくいって職人五人がフル回転。すばらしい夏だった。屋敷の持ち主も喜んでくれて、ぜひ一年中、使いなさいと言ってくれた。そうしたら彼らがやってきたんだ」

ビジネスが成功して事業を拡大すると、マフィアは近づいてくる。闇の組織が、経営能力の高い次世代のビジネスの障壁になっていることは明白だった。

さて、ロベルトはどうしたのか。

「その場ですぐ弟のマルチェッロに電話した。彼は痩せているけど、水球の選手で身長が二メートルある。でも彼は冗談だろうと、初めはまったく本気にしなかった。一方でマフィアは、さっきから同じことばかり訊きやがってと苛立ち始める。でも、帰すわけにいかないから、僕に手を出せば、ここにいるみんなで押さえこむとすごんでみた。すると、彼らが車で急に逃げようとしたから、慌てて店の客として来ていた友人たちを呼んで、マフィアの小型車の前に立ってもらった。さらに、僕の車を正面に停めて、通りかかったバイクの青年にも横づけしてもらい、大勢で囲んだ。問題は警察官だ。彼らも冗談だと思っていて、三回、電話してやっと来たんだ」

逮捕された二人の男には前科もあった。インタヴュー当時は、裁判を待つ期間だったので少し不安そうな表情を浮かべながらも、彼はこう言った。

「でもね。もう、絶対にそんな時代じゃない。ファルコーネが殺された後、シチリアは変わったんだ。マフィアだって意識の底では気づいているんじゃないかな」

最初は五日ほどで出てくるから気をつけるようにと警察に言われた。そこで彼は、すぐ「さよなら、みかじめ料協会」の友人に電話をした。

「すると、こう言ってくれた。落ち着いてロベルト。君は警察以上のことをやったのだから、ここは落ちついて対処するだけだ。後は僕らに任せてと」

しかし、裁判には最低でも三年を要する。もし、有罪が確定しなければ自由の身だ。それ以上にやっかいなのは、これを命じたボスの存在だ。それを考えると提訴する商店主が少ないのもわかる気がした。それでもロベルトに迷いはなかった。

創業は七〇年代で、店内のブロマイドは、倉庫に眠っていた初代のイタリア系アメリカ人の所蔵品だ。その店を両親が買い、ロベルトが接客を、兄のアントニオが経営を手伝うようになった。やがて店はおいしさで注目されるようになった。

「うちのピザ名人ダニエーレが、在来小麦の研究を始めた。在来小麦のピザは、粉の挽き方も大事だし、発酵や練り方で、味わいや風味、食感が大きく変わる。デリケートなんだ。二〇一一年から、彼が何種類もの小麦を使い始めると、たちまち評判になった」

グルメガイド『ガンベロ・ロッソ』にシチリアで最も魅力的なピザ屋と評された。

「事件のことが小さな記事になると、市長も、州知事も、警察署長まで店にきてくれた。でも、ピザ屋としては『ガンベロ・ロッソ』で受賞した時に褒めてほしかった。僕らは当たり前のことをしただけだ。そして、ただ当たり前に働きたいだけだ」

やがて開店時間になると、店の前には長蛇の列ができ、ロベルトはそのまま怒濤のような客の対応に追われた。奥では、アントニオの幼い娘と同級生たちがテーブルを囲んでいた。そのにぎやかな店で、独りでピザを頰張るのは気が引けたが、食べないで帰るのも悔いが残る。メニューを開くと、ブロンテ町のピスタチオやサリーナ島のケッパーといった島の名産を使ったご当地ピザもある。だが、それ以上に興味をそそられたのは、選べる六種類の生地だ。悩んだ末、三種の在来小麦をブレンドした生地でトマトと水牛のモッツァレッラとナスのピザを注文した。小麦の風味が鼻に残るような香ばしいピザだった。

その夜、ロベルトが宿まで車で送る途中、店の裏手の屋敷を見せたいという。

「カステルノーヴォ宮といって十九世紀の貴族の屋敷だ。庭も広い。戦後に州に寄贈されてから、ずっと使われていない。この界隈はマドニア一家のシマでボスは七回分の終身刑中だ。僕はリーベロ・グラッシが殺された時のことをよく覚えている。同じ地区だからね」

この地区のマドニア一家は、抗争が激しかった時期、コルレオーネ派に組みし、マッタレッラ州知事やダッラ・キエーザ将軍、ファルコーネ判事らの暗殺にも関わり、リーベロ殺害の実行犯でもあった。一家が逮捕された時、その事務所から、みかじめ料を徴収していた百五十の商店や企業のリストも押収された。

「彼らのせいで、この界隈はあまり評判もよくないけど、もともとはコンカ・ドーロと呼ばれて果樹園が並び、華やかな貴族たちの別荘地帯だった。今ではどの屋敷も放置され、しかもほとんど知られていない。いったい誰が税金を払うんだと言いたくなるよ。ランペドゥーサ男爵家の別荘を借りるのも、お役所主義と三年闘ってやっと許可が出たくらいでね。釘一本打てない文化財だから、庭に二十のテントとテーブルを並べた。できることなら、こういう宝物をもっと活かしたいな。僕らは、ファルコーネたちが町のために命を落とすのをみて育った世代だ。サッカー選手のミッコリは、ボスの車に同乗したことをスクープされた。電話の盗聴で、彼がファルコーネのくそったれの木で待つ、と言ったことが発覚した。記念樹のことだよ。町のために死んだ人のことを、そんな風に言うなんて信じられるかい」

ファブリツィオ・ミッコリは、プーリア州出身の才能ある選手で、パレルモ在籍中は最多得点記録を塗り替えた島のスターだった。ところが、判事を侮辱した発言が報道されると人気は地に落ちる。傍受から、逃亡者デナーロの親族に「新顔のサツがいるから、今は試合に来ない方がいい」と情報提供した疑いも浮上していた。

宿まで送ってくれたロベルトが帰り際に教えてくれたことがある。市長たちの賛辞より何倍も嬉しかったのは、事件の翌朝の、近所のおばあさんの反応だったそうだ。おばあさんは、店のガラス窓をコンコンと杖で叩くと、満面の笑みを浮かべてこう言った。

「お若いの、よくやった！」

荒れた地に緑を蘇らせる

シチリアは、イタリア最大の有機農業の地である。

あるオーガニック農園でも、恐喝に屈しなかった話を聞くことができた。島の東部カターニア県のカルタジローネ郊外にある「ユーデカ」というワイナリーだ。フラッパートという在来種で作った国内初の赤のスプマンテが、魚介類にも合うと話題になっていた。

オーナーのニコデモ姉弟に会ったのは、東京の百貨店での展示会だった。姉のヴァレンティーナは、ハイヒールに黒の編みタイツ、黒いスーツ姿の金髪のセクシーな美人で、その外見は、畑仕事は人に任せてビジネスに徹するよくいる経営者を思わせた。

話好きの弟チェーザレは広報担当で、モテそうな顔立ちだし、彼もまた、楽をして稼げるなら、それに越したことはないというタイプにも見えた。ところが、彼らと立ち話をするうちに、その印象はすぐに覆った。なぜ、イタリアも日本も農業を志す若者が少ないのか。それは自分たちの親の世代が、働くことの喜びを伝えきれなかったことが原因ではないかというのだ。彼らの父親は農家で、一年中、真っ黒に日焼けして働いた。その時代の農業は決して楽ではなかったが、大地に根をはって日々の糧を得る仕事には言葉では言い表せない喜びがある。ところがイタリアも日本も、こんな辛い仕事は自分の代で終わりにして、進学して良い仕事を探せと育ててしまった。自分の父親もまた、都市化時代の価値観に洗脳されていたのではないか。そんな話を熱心にしてくれたのだ。そこで意を決して、新しい土地で農業を始めた時、脅しを受けたりはしなかったのかと切り出した。

普通、初対面のシチリア人にマフィアの話は、失礼なばかりか、今もタブーである。マフィアのいない街も多く、これとは無縁な世界に生きていれば、シチリア人と聞けばすぐマフィアを連想するという偏見が相手を傷つける。万が一、脅されていたり、先代からの悪縁に苦しんでいたりすれば精神的ダメージはさらに深い。ビジネスの競合を排除するために手を染めた人も皆無とは限らない。けれども、私は友人から、この姉弟が警察にマフィアによる恐喝を通報したという話を耳にしていたのである。

それでも、チェーザレはふと表情をこわばらせた。

「僕はランダッツォという小さな町で生まれた。ごく普通のシチリアの家庭に育ち、子供の頃はマフィアの島というイメージに漠とした恐怖も感じていたし、そう呼ばれることへの反感もあった。でも、大学時代は、そんなものは存在しない、もうシチリアは完全に自由だと思っていた。けれど、この仕事を始めてわかった。派手な殺人事件こそなくなったが、まだまだ深刻な問題だとね」

それから小声で言い添えた。「もし、君が僕らの農園に遊びに来てくれたなら、その時はきちんと話をしてあげるよ」

夏が過ぎ、葡萄の収穫が始まる頃、矢も盾もたまらず、安チケットを見つけるとシチリアへ向かった。現場へ行くことはやはり大切である。彼らの偉業は、反対側の丘から眺めると一目瞭然だった。乾いた丘陵地帯に、この農園だけ生き生きとした緑が蘇っていた。熱心に説明してくれたのは、技術担当で、姉ヴァレンティーナの夫マッシモだ。

「この地域の問題は水だ。農業にはたくさんの水が要る。水がなければ乾いた土地を蘇らせることはできない。そこでダウジングで位置を定めて井戸を掘ることになった。でも、五十メートルボーリングしても、ちっとも水が出てこなかった」

チェーザレが続ける。「コストはかかるが別の方法しかないと諦めかけた時、マッシモだけが、もう少し、七十五メートルまで掘ろうと言い張った。すると水が出たんだ。だから、この井戸は僕らの間でマッシモの奇跡の井戸と呼ばれている」

雨の少ない島では水は貴重だから、井戸水は、逆浸透膜フィルターで浄化し、飲料水にもしていた。地下水の枯渇の話題になると、シチリアの課題は植林と森の管理で、近くに自然保護区となっている広大な森があるから、次に来た時には案内すると言った。

「近頃は異常気象で天候がちっとも予測できないから、ため池を作っているんだ」

シチリアの先例に倣い、巨大な太陽光パネルを導入し、屋上には太陽光湯沸かし器を設置し、エネルギーの自給化にも成功していた。

この農園は、エネルギー自給とともに、在来種にこだわっていた。

「この土地に決めたのも、在来種のネーロ・ダーヴォラとフラッパートを栽培し、シチリアで唯一のDOCG（ワインの統制保証原産地呼称）を持つチェラスオーロ・ディ・ヴィットリアを名乗れるのは、この地域に限られていたからだ」

ハイテクを駆使した農園は、伝統を受け継ぐワイナリーとは趣は違うが、長年、放置されて半砂漠化した地が、潤いを取り戻していく様は感動的だった。

だが、現場で最も驚かされたのは、畑でのヴァレンティーナの豹変ぶりだ。

葡萄色に染まったランニング姿の筋肉質の女性が、搾り機から出てくる搾りかすを、ピッチフォークでトラックの荷台にせっせと積み込んでいた。それが彼女だった。東京で会った彼女とはまるで別人だが、その姿は神々しかった。見違えるようだというと、全身汗だくの彼女は白い歯を見せて笑った。

「ハイヒールにスーツ。あれはプロモーション用の仮の姿、本当の私はこっち。畑仕事が大好きなの。疲弊した土地に、その風土に合った在来葡萄を植えてオーガニックのワインを作る。それは大学の卒業論文にも書いた私の長年の夢だったから」

日曜日、料理の達人マッシモが昼食を作ってくれた。銀行員の彼は「僕は、妻の夢を叶えるお財布係です」とおどけたが、週末は終日、葡萄の枝を集め、トラクターで畑にすき込んでいた。どこの国にもいる、何かしていないと落ち着かない、根っからの働き者だった。

自家用の畑から、野菜を籠いっぱいに持ち帰った彼は、じっくり煮込んだトマトソースのパスタやペペローニの前菜を作ってくれた。地元のパンに自家製オリーブ油をかけ、ハーブと塩を散らし、よく冷えた白を開けてくれた。広いテラスから見渡す葡萄畑が、夕日に色づいていく。その優美な眺めとひんやりとした夜風は、そのまま彼らの労働の賜物だった。

泣き寝入りする気などない

その午後、チェーザレが、向かいの丘の木の下に停められた一台の黒い車を指した。

「いつもあそこに停めてある車は、俺たちは見張っているぞという意味なんだ」

嫌がらせが始まったのは、「ユーデカ」が評判になり、ワインの売れ行きも伸びてきた二年前、葡萄畑を増やすために新しい土地を買った時だった。

「まず、広報に出ている間、四十本のオリーブの木が勝手に切られた。被害額もさることながら、かわいそうだったのは、樹齢二百年の古木まで無残に切られたことだ」

彼らの不運は、隣りの農場主のことをよく知らなかったことだった。次に相手は、お宅の畑に牛を放してもいいかと言ってきた。牛は葡萄の実を食い荒らす。暗にみかじめ料を要求していたのだ。唯一の気がかりは、ヴァレンティーナとマッシモの一人娘で、もしも彼女に何かあったらと躊躇《ちゅうちょ》したが、三人で話し合った結果、やはり警察に届けることにした。

その後も不在中に柵を壊されて牛に葡萄を食い荒らされたが、この時は、治安警察が、これを録画していた。彼らは、カターニアに、反恐喝団体ＦＡＩの支部があると聞き、さっそく相談した。裁判の準備を進める中で様々なことがわかってきた。

「相手は、表向きは牛を三百頭ほど放牧している農家だ。オリーブ畑や葡萄畑も所有している。ただ、尋常でないのは桁違いの牧草地の広さだ。二世帯で二千ヘクタール近い。牛の頭数からすれば、通年放牧でも四百ヘクタールもあれば充分だ。不自然に広すぎる」

そこで警察も捜査に乗り出した。

「捜査官によれば、彼らはトルトリーチというシチリア島東北部の小さな村出身のマフィアだ。事件に関与した二つの家族は、そこから抗争で逃げてきた連中だった。この地域のマフィアの特徴は、農家をしながら違法行為を続けることだ。その広い放牧地も、恐喝や嫌がらせ、偽造書類で騙したりして略奪してきた結果らしい」

コーサ・ノストラの知名度の陰に隠れてきたが、これとは交わらない古い組織で、主たる収入源は、島の農家やEUの補助金を狙った詐欺や不正ビジネスだった。

「ヨーロッパは農業支援に力を注いでいる。しかも直接支払い制度だ。書類を改ざんすれば、大金が手に入る。一時期、放牧牛は健康的な牛だとして奨励されたから、一ヘクタール百五十万円の補助金が出た。つまり、彼らは一見、貧しそうでも実は大金持ちだ。

だから、いざ裁判が始まると、弁護士を五人もつけてきたんだよ」

私が訪れた秋は、一審で勝訴した直後だった。ロベルトとチェーザレ、二人の取材からわかるのは、近年の警察組織はきちんと機能しており、彼らも頑張っているという事実である。ただ納得がいかないのは、恐喝罪で有罪となった相手が、自宅軟禁の処分であることとだった。

悔しそうにぼやくチェーザレの主張は、同世代のロベルトのそれと同じだった。

「泣き寝入りする気などさらさらない。現代に、こんな理不尽なことがまかり通ってたまるものか」

コロナ禍でも何のその

新型コロナウイルスが猛威をふるい、しばらく取材に行けそうにもないので、その後が気になって連絡してみた。すると、「ラ・ブラチェーラ」は予想に反して盛況だった。今ではランペドゥーサ邸での営業が軸となり、その広い庭園の青空レストランは、新型コロナとの共存時代にも安心だと、人々のオアシスとなっていた。

裁判の方は、どうなっているのか。

「これまでに十四人のマフィアが逮捕された。僕らが取り押さえた二人は、その後、沈黙の掟を破って自供を始めた。うち一人は、二人も人を殺していたんだ」

公判では、兄のアントニオが、両親の時代にはみかじめ料を払っていたと証言した。

「月に五十万リラ、今の約二五〇ユーロ（約三万二千円）だ。でもアントニオが経理をするようになってきっぱり断った。ところが、ランペドゥーサ邸で営業するようになると、また一万ユーロ（約百三十万円）を一括でいいと要求してきた。兄は、それを僕らに黙っていたんだ。店の暗い過去まで振り返る重たい裁判だった。でも、おかげで身も心も軽くなったよ」

三兄弟のピザ屋は、この地域のイメージを確実に変えつつあった。

一方、「ユーデカ」はコロナ禍で、売上の約六割を占めていた海外への輸出が四割も減少した。島のワイン・ツーリズムが始まり、売り上げを伸ばしてきた矢先だった。

それでも、この機会に農園の手入れに力を注ぎ、少しずつ増やしてきた畑は四十五ヘクタールになり、ため池も完成した。少しでも多くの人に現場を知ってもらおうと農家民宿の許可をとり、宿泊スペースも作った二〇二〇年には、農業連盟から、環境に配慮したエシカルな農場として、イノヴェーション賞を受賞した。

裁判はというと、まだ続いていた。恐喝者の出身地トルトリーチには農業助成金詐欺の捜査のメスが入り、多くの人が検挙された。

そして大切なのは、トルトリーチの村人たちが、一斉検挙の報道直後、普通に暮らす善良な村人のことを忘れないでほしいとネットで呼びかけたことだ。ある大学生は、「この村をかつてのコルレオーネのように偏見の目で見るのはやめて下さい」と訴えていた。

さて、そんな闘う人たちの周りはどうだろう。ここのところ、イタリアでは、消費生活を見直す人々が増えていた。パドヴァ大学の調査によれば、エシカル消費（批判的消費）を心がけていると答えた人は、二〇〇一年の十一％から、二〇二〇年には三十二％に増加し、エシカルな旅をしたと答えた人は、〇・二％から、九・四％に伸びていた。「リーベラ・テッラ」は、コロナ禍も順調に無農薬国産小麦のパスタを年間、約百万袋売上げ、「さよなら、みかじめ料協会」も二〇一八年に通販サイトを立ち上げた。[52] そこでは、最初に恐喝を訴えたシメカ兄妹の伝統菓子や少年院で作られるクッキー、押収地のワインなどとともに、「さよなら、みかじめ料旅行社」のパレルモ・反マフィアの半日ツアーやモディカのエシカルなチョコレートツアーなどが販売されている。サイトを運営するアレッサンドラは、女性の失業率が三十％（男性二十二・八％）と高いシチリアの現状を打開していければという。

そしてイタリア政府は、二〇二三年から四年間で新たに二十億ユーロ（約二七九〇億円）の予算を投下し、若者の新規参入による有機農業への転換をさらに強化すると発表した。そして、多様な地形に恵まれたことから、希少な地域食材が各地に残り、約七十種の在来葡萄と、四十五種の穀物を誇る自治州シチリアでは、議会が、グリホサートやネオニコチノイドといった農薬の使用を廃止していくとともに、すべての農産物を有機に変えていくという野心的な目標を掲げ、法案の整備を始めた。有機農家の団体や農学者・林学者が中心となってオーガニック・アイランド構想を立ち上げたのだ。

そんな中、二〇二〇年には、シチリアの有機ワインはさらなる伸びを見せ、生産量がイタリア全体の三十四％に到達したというニュースで活気づいていた。

エピローグ　民主主義とエシカル消費

シチリアには、四つの国立公園の他に、七十四の自然保護区がある。

その記念すべき第一号は、パレルモの西側の岬にあるジンガーロ自然保護区だ。保護区内には車は侵入することができない。入口で入場料を払って、舗装されていない遊歩道を散策する。灌木が多く木陰の少ない地中海沿岸は、初夏でも目がくらみそうな暑さだったが、片道二時間ほどの散策コースは一度、歩いてみる価値がある。途中、海水浴ができる八つの入り江が点在している。純白の丸石の入り江に澄みわたるエメラルドグリーンの海、それはまさに、この島で生まれたフェデリコ二世が言ったように、「この世の天国」だ。

ところが七六年、この岬に大がかりなリゾート計画が立ち上がり、二本目の道路建設が始まった。これを中止に追い込んだのは、八〇年五月、島中から集まって美しい海岸をただ静かに行進する抗議デモを行った三千人の若者たちだ。テレビカメラがこれに同行したことで、美しい楽園の存在を国中が知ることになり、世論を動かしたという。

そして、もう一人の陰の功労者が、前述した当時の州知事ピエルサンティ・マッタレッラだった。弁護士で二児の父、自然保護に熱心だった彼は、七八年にシチリア州法を改正し、環境保護の条項を盛りこむ。その新州法によってジンガーロの海岸線がシチリア州初の自然保護区に指定されたことで、すでに着工された道路工事を中断に追い込むことができた。

ここは、今ではエコロジストの憧れの地となっている。

イタリアは、新型コロナの流行によって大きな被害を受けた。死亡者は、二〇二二年の現時点で十七万人を超えた。ロックダウンと緊急事態宣言によって、国内の貧困層は百万人増えて四百六十万人となり、失業者は二百五十万人にのぼるという。

そんな中、世界をめぐったニュースは、パンデミックの中で力を増すマフィアの脅威だ。マフィアは、みかじめ料を徴収することで大量の現金を所有している。そこで資金の流れが見えない現金のやり取りによる高利貸しが横行しているというのだ。

二〇二〇年には、農業の季節労働者によるストライキも起こった。南部カンパーニャ州のベネベントの移民たちの呼びかけから全国に拡大した。ストのリーダーは、政府の移民排除政策によって滞在許可書も得られず、見えない棄民《きみん》と化した移民たちが、イタリアの農業の現場を支えていると訴えた。そして最低賃金も保障されず、長時間労働を強いられる現状を打開しようと、消費者に不当に安い果実や野菜のボイコット運動を呼びかけた。

そうした事態を受けて、市民団体「リーベラ」のチョッティ神父は、あるテレビ番組でいつものように熱のこもった演説をした。[53]

マフィアの組織犯罪は、もはや幅広い分野における不正システムの一部だと捉えなおす必要があります。

今日、マフィアに対抗するには、より文化的で、教育的で、社会的な視野が必要です。

もう一つ大切なのは、ファルコーネやボルセリーノ、その他すべての人たちを思い出し、お決まりのステレオタイプなイメージから、彼らを解き放つことです。

歴史の変化に照らし、また現在の緊急性において、彼らの記憶をもう一度、蘇らせる。これこそ、今日、私たちがやらなければならないことです。

政治にも、一体となって徹底的に成し遂げてくれることを要求しましょう。百六十六年間もマフィアを話題にしなければならないなど、ありえないからです。とはいえ、美しいこと、大切なことのために、懸命に尽くしてくれた人々への感謝の念を失ってはなりません。

あまりの闇、あまりの遅さ、あまりのお役所主義、そして話を逸らそうとする人々のあまりの多さ。政治に訴えようではありませんか。また、私たちの市民としての自覚を、もっと責任を担うことを、問い直そうではありませんか。

さらなる行動に移しましょう。

最も深刻な病とは諦念であり、人任せ、常に誰かがやってくれるだろうという考えです。

それではいけません。汚職について、マフィアについて、責任の一端は私たちにもあり、そのことが私たちに市民としての参加を促すのです。期限付きの市民でも、情況や感情に左右される市民でもない。責任ある市民となることによってのみ、私たちは自由と尊厳を手にすることができるからです。

資本主義国家とともに産み落とされ、政界や財界、司法の腐敗とともに、これに寄生しながら成長してきたマフィア。これを弱体化させるには、真の民主的な暮らしを実現していくための政治参加と市民としての自覚しかないと、神父は説く。

二〇二二年の春には、ロシアによるウクライナ侵攻が起きた。紛争地帯からの不法な難民や移民の輸送はマフィアの中心的ビジネスであり、そこには武器の密売、国際的な資金洗浄がセットだ。

イタリアの法務大臣は、大がかりなウクライナ難民の受け入れをめぐり、パンデミックの時期を教訓として、公的資金を狙った詐欺の横行や人身売買への警戒を強く呼びかけた。また、押収物件をめぐるサグート裁判官らの汚職事件を受けて、その法規制を、より国民に有益なものに改善していくことが急務だと訴えた。

パンデミック以前、イタリアは年間旅行者の数が六千万人を超える世界五位の観光大国だった。観光面では景気がよく、ホテル、農家民宿、B&Bが着実に増え、イタリアの宿泊床数は、アメリカ、中国に次ぐ世界三位にまで伸びていた。二〇一九年のイタリア政府観光協会の発表によれば、人口の約七％が観光関連の仕事に携わり、国内総生産における観光産業の割合は、約十三％を占めていたという。

そんな時、突如襲ったのが、新型コロナウイルスの流行だった。観光産業の被害の深刻さが浮き彫りになるとともに、この国らしい創意工夫が見られるのもこんな時である。打撃を被ったのは、みかじめ料を払わない店やホテルを利用するツアーを提案する旅行社「さよなら、みかじめ料旅行社」も例外ではなかった。

電話の向こうで、エドアルドが言った。

「僕らの組合は高校生の修学旅行の受け入れが軸だったから、二～六月は大忙しだった。ところが、今年は二月に三校だけで五十五校がキャンセル。海外の大学生もゼロ」

だが、愚痴はそこまでで、そこから先は、「さよなら、みかじめ料協会」の仲間との食糧援助の話題だ。

「パレルモのゼン地区ではマフィアが現金を配った。救済と称する高利貸しだ。そこで僕らはカルサ地区の貧困家庭に、パスタや缶詰、紙おむつを配布したんだ」

代表のダリオは、転覆した難民ボートから救い出された赤ん坊の里親になっていた。しばらく、その娘の話で盛り上がったが、旅行社の話になると、こんな返事が返ってききた。

「急に暇になったから、友人たちの団体と閃いたのがツアー・ソスペーゾなんだ」

その昔、ナポリの下町で、カフェ・ソスペーゾという習慣について教わった。貧しい人も多い下町では、バールで一杯のカフェを味わう時、もし、懐に余裕があれば、その客が二人分の料金を払っていく。すると小銭さえなくても、おいしいコーヒーで一服したい人が店を覗き、「カフェ・ソスペーゾある?」と訊く。答えがイエスならば、無料でカフェを飲めるという麗しい伝統である。

ダリオたちは、それを旅に応用したのだ。

「カルサ地区には、地元なのに世界遺産のモンレアーレ大聖堂やアグリジェントの古代遺跡を一度も観たことがない子供たちがたくさんいた。生活がギリギリで、文化に触れる余裕がないんだ。だから、クラウドファンディングでお金を集めて、子供たちにシチリアの美しい文化と、島の素材を使った食事が楽しめる小旅行を贈るんだ。今から楽しみなんだ」

ツアーには、多文化共生食堂「モルティヴォルティ」や「リーベラ・テッラ」の有機のワインを作る押収地の見学も組み込まれていた。マフィアが暗躍する危機の時にこそ、環境、移民、貧困、さまざまな問題に取り組む団体が手を組んで、貧しい地区や移民の子たちが悪い組織にリクルートされないように、力を合わせようというのだ。

さらに、マフィア研究家のサンティーノは、二〇二一年、マフィアについて正しい情報を伝え、彼らとの闘争史を発信する小さな博物館[54]をパレルモの市街地に作るという長年の夢を実現させた。ただ、「政治の劣化を食い止めようと、老体に鞭打っておりますが、苦しい闘いです」と書いて寄こしたのは、二〇二二年の秋、極右の女性首相メローニ政権成立を受けてのことだった。

新型コロナの終息は、まだまだ未知数だ。だが、パンデミックが落ち着いた後、私たちにとって、旅というものが以前よりずっと貴重なものになることは必至だ。自然や芸術、おいしいものを満喫するだけではなく、旅をする地域も豊かにするようなエシカルな旅が人々を惹きつけていくことだろう。

大地にも、働く人にも、身体にもよく、不正を蔓延させない商品を選ぼうというエシカルな消費は、私たちにも今日からでも始められる次世代のための種まきだ。何を買い、どう暮らし、いかに旅をし、誰に投票するのか、そんな日々の私たちの選択が、誰もが生きやすい世界に変えていくための何よりも有効な手立てなのである。

イタリアで、今、エシカルな消費を意識する人が増えているのは、森林消失や水資源の枯渇、生物多様性の破壊を顧みず、遠い国から少しでも安い食材やエネルギーを運ぶという暮らしが行き過ぎた先に、異常気象やウイルスの暴走があることを人々が実感し始めたからではないだろうか。二〇二一年、熱波と極度の乾燥が、シチリアに森林火災をもたらし、約七十八ヘクタールが焼失した。また洪水でイタリア最大の生産量を誇る柑橘畑が浸水被害を受けた。有機農業への転換や植林に州が力を注ぐのは、それが、暴走する自然をなだめ、豊かな環境を取り戻していく最善の方策だからである。だからこそ、マフィアからの押収地を有機の畑に変えていくという地道で、勇気のいる挑戦を諦めようとしないのだ。

そして、もう一つ忘れてはならないのは、シチリア島のマフィアの犠牲者は五一九人もいるということだ。本書にはとても書ききれなかった多くの判事や捜査官、企業家、女性たちが、故郷の島と次の世代のために命を落とした。イタリア全域に拡げれば、その数は一〇五五人に増え、構成員の死者を加えれば五千人とも言われる。それぞれの故人に遺族や友人たちがいて、多くが、その遺志を受け継ぎながら暮らしている。だから、諦めることなどできないのである。

取材を通じて、マフィアの暴力への恐怖や政治腐敗への諦念から、勇気を持って一歩、踏み出したシチリア人たちに出会えたことで、私もまた大いに励まされた。どんなに悲痛な過去も、これを生き延びる糧とし、粘り強く、こつこつと目標に向かって進んでいく。どんなに乗り越えるのが難しい局面にあっても、日々の営みに歓びを見出そうとする天性の才能。その逞しさの根底にあるのは、時に荒々しい表情を見せながらも、豊かな恵みをもたらしてくれる島の美しい自然への揺るぎない信頼のようなものだろうか。

彼らの郷土愛にあやかって、私もまた、日本という島を眺め直してみたい。

註

1 https://www.youtube.com　Libero Grassi a Samarcanda「サマルカンダに出演したリーベロ・グラッシ」Rai Teche　11/4/1991
2 https://palermo.repubblica.it/cronaca/2018/08/29/news/la_lettera_al_caro_estortore_di_libero_grassi　リーベロの手紙・親愛なる脅迫者どの　10/1/1991
3 https://direzioneinvestigativaantimafia.interno.gov.it　マフィア対策庁　二〇二一年度報告より
4 正確には、治安判事（Magistrato）と呼ばれる司法権を有する公務員で、裁判官（Giudice）であり、検察官（Procuratore della Repubblica）でもある。イタリアでは、裁判前の捜査を指揮することに比重が置かれる。八八年、刑法改正までは予審判事（Giudice Istruttore）と呼ばれていた。
5 イタリアでは、二八〇万人の大都市ローマも三十人の山村もコムーネ（Comune）と呼ばれ、市町村の呼び分けはない。だが、本書ではその規模を示すため、五万人以上を市、一万人以下を村、その間を町と呼ぶことにする。
6 Paternostro, Dino『L'antimafia sconosciuta: Corleone 1893-1993』La Zisa, 1994
7 Laboratorio della Legalità「合法性のラボ（コルレオーネ）」
8 https://www.cidmacorleone.it「チドゥマ（コルレオーネ）」
9 https://www.centroimpastato.com「ジュゼッペ・インパスタート・資料センター」
10 村上信一郎『ベルルスコーニの時代』岩波新書　2018　P46-58　シンドーナ事件の

記述
11 https://www.archivioantimafia.org/bio_chinnici.php　Biografia di Rocco Chinnici
12 Lupo, Salvatore『La mafia Centosessant' anni di storia』Donzelli, 2018, P15-27
13 Dimico, A-Isopi, A-Olsson, O『Origins of the Sicilian Mafia: The Market for Lemons』The Journal of Economic History, Cambridge University Press, 2017
14 Lupo ibid.　P20　Rasponi 県知事の証言
15 エイコ・マルコ・シナワ『悪党・ヤクザ・ナショナリスト』藤田美菜子訳　朝日選書　2020　P18
16 Colajanni, Napoleone『Nel Regno della Mafia』Rizzoli, 2013
17 https://www.eleaml.org/ne/camorre/giorno_1900_alfredo_oriani_le_voci_della_fogna_2016.html
Le voci della fogna「暗渠からの声」Alfredo Oriani　8/1/1900
18 サルヴァトーレ・ルーポ『マフィアの歴史』北村暁夫訳　白水社　1997　P37
19 Captain Scotten's report on the Problem of Mafia in Sicily　4/11/1943「スコッテン大尉の報告書」
20 シナワ前掲書　P238-274
21 https://www.youtube.com　Salvatore Giuliano inedito Piana degli Albanesi「ピアーナ・デッリ・アルバネージに潜伏するジュリアーノ」Rai Tre　24/10/2009
22 藤澤房俊『シチリア・マフィアの世界』講談社学術文庫　2009　P144-207
23 http://www.archivio900.it/it/documenti Il nodo siciliano「元ＣＩＡ補佐官ヴィクター・マルケッティの証言」1976
24 https://www.casamemoria.it「フェリッ

チャ&ペッピーノ・インパスタート記念館（チニジ）」
25 Bolzoni, Attilio『Uomini Soli』Melampo, 2012, P113
26 Bolzoni ibid.　P116-117
27 Lupo ibid.　P360
28 https://www.transparency.org 「トランスペアレンシー・インターナショナル」
29『Paolo Borsellino e l'agenda rossa』「ボルセリーノと赤い手帳」 2014
30 https://www.youtube.com　Stragi Capaci e Via D'Amelio, gli agenti sopravvissuti「カパーチとダメリオ通り事件の生き残り」 23/5/2019
31 https://www. linformazione. eu/2020/06/20-giugno-1992-il-testamento-spirituale-di-paolo-borsellino「ボルセリーノの遺言」
32 https://www.progettolegalita.it「裁判所内のファルコーネ・ボルセリーノ博物館」Museo Falcone e Borsellino
33 Bartoli Costa, Rita『Una storia vera a Palermo』Sciascia, 2001
34 https://addiopizzo.org「さよなら、みかじめ料協会」
35 XIII　Rapporto di Sos Impresa『Le mani della criminalità sulle imprese』 Aliberti Editore, 2011
36 Marlin, Alice T『Shopping for A Better World』Ballantine Books, 1989
Jones, Ellis『The Better World Shopping Guide』New Society Publishers, 2022
37 https://www.addiopizzotravel.it「さよなら、みかじめ料旅行社」
38『ゲーテ全集11　イタリア紀行』高木久雄訳　潮出版社　2003　P208
39 https://www.todo-contest.org/eng　TO

DO Award
40 https://www.ashoka.org「アショカ財団」
41 https://www.museisalemi.net/museo-della-mafia-ed-officina-della-legalita「マフィア博物館（サレーミ）」
42 Libera Bottega dei Saperi e dei Sapori della Legalità「リーベラの専門店」 各地に展開
43 https://www.libera.it「リーベラ」
44 https://www.corriere.it Mafia, l'odissea dei beni confiscati「マフィア押収財産の長い旅」
45 Dalla Chiesa, Nando『La scelta Libera』Gruppo Abele, 2014
46『精神病院を捨てたイタリア　捨てない日本』大熊一夫　岩波書店　2009
47 https://www.agriturismoportelladellaginestra.it/it「農家民宿ポルテッラ・デッラ・ジネーストラ」
48 https://www. cbsnews. com/news/60-minutes-agromafia-food-fraud「アグロマフィア特集」3/1/2016
49 Cretto（亀裂） Alberto Burri　被災地の巨大モニュメント（ジベリーナ）
50 Di Maggio, Ruggero-Gambino, Davide「ヴェンデッタ　真実、嘘、マフィア」Netflix, 2021
51「なぜイタリアはテロと無縁なのか」『ニューズウィーク』アンナ・モミリアーノ、24/5/2018
https://www.ilpost.it/davidedeluca/2014/12/19/quanto-intercettazioni-si-fanno-italia「イタリアでは、どのくらい通信傍受するのか？」
52 https://www.addiopizzostore.com「さよなら、みかじめ料協会通販サイト」
53 Propaganda Live　22/5/2020

54 No Mafia Memorial（パレルモ）

参考文献

Casarrubea, Giuseppe-M. J. Cereghino『La scomparsa di Salvatore Giuliano』Bompiani 2013

Di Matteo, Nino-Palazzolo, Salvo『Collusi』Rizzoli 2015

Di Trapani, Pico-Vaccaro, Nino『Addiopizzo. La rivoluzione dei consumi contro la mafia』Arkadia 2014

Di Trapani, Pico『Viaggio in Sicilia』Navarra 2013

『Sicilia. Una Guida non Convenzionale』Navarra 2015

Bartolotta Impastato, Felicia『La mafia in casa mia』La Luna 1987

Impastato, Giovanni『Oltre I cento passi』Piemme 2017

Lo Bianco, Giuseppe-Rizza, Sandra『L'agenda rossa di Paolo Borsellino』Chiarelettere 2017

Lodato, Saverio『Quarant'anni di mafia. Storia di una guerra infinita』Rizzoli 2012

Macaluso, Emanuele『La mafia e lo Stato』Storia e Studi Sociali 2013

Montanaro,Giovanna『La verità del pentito』Sperling & Kupfer 2013

Petrotta, Francesco『La strage e i depistaggi. Il castello d'ombre su Portella della Ginestra』Ediesse 2009

Picozzi, Massimo『Cosa Nostra. Storia della mafia per immagini』Mondadori 2010

Ravveduto, Marcello『Libero Grassi. Storia di un'eresia borghese』Feltrinelli 2012

Santino, Umberto『Storia del movimento

antimafia』Riuniti Univ. Press 2010
『La cosa e il nome』Rubbettino 2000
『La mafia dimenticata』Melampo 2017
ジョヴァンニ・ファルコーネ『沈黙の掟』千種堅訳 文藝春秋 1993
ジュセッペ・アヤーラ&フェリーチェ・カヴァッラーロ『マフィアとの死闘』竹山博英訳 NHK出版 2000
ピーノ・アルラッキ『名誉を汚した男たち』和田忠彦訳 新潮社 2000
ピーター・B・E・ヒル『ジャパニーズ・マフィア――ヤクザと法と国家』田口未和訳 三交社 2007
竹山博英『マフィア』講談社現代新書 1991
宮崎学『ヤクザと日本』ちくま新書 2008

日本で公開されたシチリア・マフィア関連映画

『運命に逆らったシチリアの少女』M・アメンタ監督、2008（勇敢に証言台に立つもボルセリーノ判事爆殺後、自殺した少女の物語）

『ゴッドファーザー』F・F・コッポラ監督、1972（奇しくも虚飾に満ちたマフィア像を定着させた名作。コルレオーネでの撮影は叶わず、サヴォカ村などのロケ地をめぐる旅は今も人気。続編1974、1990）

『シシリーの黒い霧』F・ロージ監督 1962（ジュリアーノの死の謎を追うドキュメンタリータッチの作品）

『ローマに散る』F・ロージ監督 1976（70年代、マフィアの政界での暗躍を描く）

『シシリアン』M・チミノ監督、1987（『ゴッドファーザー』同様M・プーゾ原作のジュ

リアーノ像）

『ペッピーノの百歩』Ｍ・Ｔ・ジョルダーナ監督、2000（反マフィア活動を展開し、殺害された実在の青年の半生。反マフィアの象徴的作品となった）

『マフィアは夏にしか殺らない』Ｐ・ディリベルト監督、2013（シチリア人目線の映画、キンニーチ治安判事やさよなら、みかじめ料協会なども登場）

『シシリアン・ゴースト・ストーリー』Ｆ・グラッサドニア＆Ａ・ピアッツァ監督、2017（ジュゼッペ少年誘拐殺人事件に触発された物語）

『シチリアーノ　裏切りの美学』Ｍ・ベロッキオ監督、2019（大裁判で証言したブシェッタの半生）

『コルレオーネ』Ｅ・モンテレオーネ＆Ａ・スウィート監督、2007（コルレオーネ派トト・リイーナの生涯をリアルに描いたＴＶドラマシリーズ）

島村菜津　1963（昭和38）年、長崎生まれ、福岡育ち。ノンフィクション作家。東京藝術大学卒。代表作に、イタリアのスローフード運動を紹介した『スローフードな人生！』、『スローシティ』『エクソシストとの対話』など。

Ⓢ新潮新書

978

シチリアの奇跡《きせき》

マファィアからエシカルへ

著　者　島村菜津《しまむらなつ》

2022年12月20日　発行

発行者　佐藤隆信

発行所　株式会社 新潮社

〒162-8711　東京都新宿区矢来町71番地
編集部(03)3266-5430　読者係(03)3266-5111
https://www.shinchosha.co.jp
装幀　新潮社装幀室

印刷所　錦明印刷株式会社

製本所　錦明印刷株式会社

ISBN978-4-10-610978-2　C0222

価格はカバーに表示してあります。